Lauren Child

Tradução:
Isa Mara Lando

Tipo assim, Clarice Bean

editora ática

Sexta-feira

Esta sou eu, Clarice Bean*.

Não sou filha única, mas às vezes eu bem que gostaria de ser.

Minha família tem seis pessoas – às vezes é gente demais.

Nem sempre, só às vezes.

Meu pai passa o dia inteiro no escritório, atendendo o telefone. Tipo assim: "Não posso falar agora, estou atolado de trabalho!"

* Pronuncia-se *bin*

Minha mãe está sempre reclamando da calça jogada no chão e dos sapatos no sofá.
Ela vive dizendo umas coisas assim: "Sabia que a roupa não volta para o armário sozinha? Quem você acha que precisa fazer tudo aqui em casa? O Papai Noel, por acaso?
Não sou empregada de ninguém pra ficar catando suas meias fedidas do chão!
Se eu ganhasse pra catar suas roupas do chão, hoje eu seria rica!" E por aí afora etc. etc. sem parar, sem parar, sem parar.
Eu sou a terceira mais velha. Bom seria se eu fosse a mais nova.
Não sei por que minha mãe e meu pai quiseram ter mais filhos depois de mim.
Eles não precisavam de mais. É uma pena porque ele vive estragando tudo e cortando o barato de todo mundo.
O nome dele é Miguel, mas para mim é Grilo Falante – um chato total.
Chora o tempo todo e só arruma encrenca pra todo mundo.

Se você acha
que é um
alívio ir pra escola,
é porque você não conhece
umas pessoas da minha classe.
Não quero citar nomes,
mas aquela Graça Grapello,
que menina mais exibida!

Às vezes eu fico olhando fixo com o olhar perdido no espaço, pensando em **absolutamente nada**.

Isso deixa a dona Clotilde tiririca.
Eu sei que eu dou nos nervos dela.
Como é que eu sei? É porque ela vive dizendo.
Para ser franca, a dona Clotilde não é a minha pessoa predileta no planeta Terra.
Só que, infelizmente, eu sou do planeta Terra e ela é minha professora.
Dona Clotilde vive dizendo que eu não tenho a menor concentração.
Estou tentando provar que ela está errada, tentando me lembrar de me concentrar.
Penso nisso o tempo todo. Fico tentando desesperadamente não me esquecer de me concentrar, e falando pra mim mesma: "Não deixe o pensamento fugir como você fez ontem".
Daí eu começo a pensar que o meu pensamento fugiu ontem, e que eu estou pensando que preciso escutar a dona Clotilde e tudo que ela está me dizendo.

Daí fico pensando:

como será que todos esses negócios que ela fala cabem na minha cabeça?

Daí fico pensando se eu deveria fazer uma limpeza em todas as tranqueiras velhas

sabe como é,

que nem o dia que meu pai limpou o sótão,

só que todos nós descobrimos que

**precisávamos
de tudo**

e ele teve de guardar tudo de volta outra vez.

Mas talvez haja espaços valiosos ocupados na minha

cabeça

não com as coisas importantes e

é
  por isso
    que eu não consigo
      m e   c o n c e n t r a r

porque todo o meu espaço para concentração
    já foi usado com
coisas assim:
            "Tire os cotovelos da mesa!"

            "Não belisque o seu irmão!"

      coisas sem sentido,
        sem necessidade,
        coisas
        que
não têm a menor importância.

"CLARICE
Quer
 fazer
o favor
 de
  voltar
 para
 a Terra já,
8   neste

BEAN!

instante?!"

É a dona Clotilde.

A
   gente
      sabe
         por causa
         daquela
   voz
      de ganso.

Ela fala:

"Clarice Bean, você não tem **absolutamente** nenhuma concentração. Qualquer mosca tem **mais** capacidade de **prestar atenção!**"

Sinto vontade de dizer:

"E a senhora não tem **absolutamente** nenhuma **educação**, dona Clotilde, e até um rinoceronte é mais **gentil** do que a senhora".

Mas eu não digo nada porque a dona Clotilde pode dizer coisas estúpidas e grosseiras para mim, mas eu não posso fazer o mesmo com ela.
Essas são as regras da escola.

Daí a dona Clotilde fala: "Muito bem, classe, tenho uma notícia muito interessante: vamos fazer uma exposição para o Dia da Visita dos Pais e um concurso de projetos".
Dona Clotilde não parece nem um pingo interessada, mas acho que pra ela ficar animada com alguma coisa só mesmo se um elefante entrasse na sala de aula dançando balé.
Bem, o fato é que a gente precisa formar duplas e bolar alguma coisa pra exposição e mostrar quando chegarem os pais, coitados, se arrastando pra ver o que os seus queridinhos e queridinhas andaram aprontando.
É claro que vou fazer dupla com a Betty, porque ela é ab-so-lu-ta-men-te a minha melhor amiga.
Dona Clotilde falou que o projeto tem que se basear em algum livro que a gente leu, um livro onde a gente tenha aprendido alguma coisa.

Isso é absolutamente pavoroso.

Chego em casa e vou direto lá pra cima, para o quartinho de passar roupa onde nunca vai ninguém. Levo uns queijinhos para comer, meu lanche favorito no momento. E a gente nunca sabe quando vai querer beliscar um lanchinho esperto.
O quartinho é um bom lugar pra gente ficar sozinha em paz.
É lá que eu gosto de ler o meu livro.
Lá é escurinho e a gente precisa de uma lanterna – ainda bem que eu ganhei uma de Natal.
Eu tive que pedir uma lanterna de presente. Botei um bilhete na lareira para o Papai Noel.
Não que eu acredite em Papai Noel, mas como meus pais querem que eu acredite, todos os anos eu escrevo pra ele.
Escrevi assim: "Querido Papai Noel, se você existe mesmo, por favor, daria pra me arranjar uma lanterna? E caso você não exista, será que alguma outra pessoa podia me arranjar uma lanterna?"

Acho importante a gente ter várias opções,
porque hoje em dia a gente nunca sabe qual é a
verdade verdadeira mesmo, tipo assim, pra valer.
Minha avó sempre fala que o mundo é muito misterioso,
com astronautas no espaço e coisas do gênero.
Ela fala assim: "Quem iria imaginar que algum dia a
gente poderia mandar uma fotografia pelo telefone
ou assar uma perna de carneiro em cinco minutos?"
Antigamente eu não lia muito. Isso só aconteceu
quando minha avó me deu um livro chamado UMA
MENINA CHAMADA RUBY. Minha mãe sempre diz que
foi aí que eu passei a viver "encaramujada" nos livros.

UMA MENINA CHAMADA RUBY
é de uma série chamada COLEÇÃO
RUBY REDFORT.
Eu e a Betty somos ab-so-lu-ta-men-te
apaixonadas por esses livros. Eles falam de uma
menina incrível – tipo uma detetive, mas ela só tem
onze anos.

Ela não tem nenhum irmão nem irmã, e vive se metendo em aventuras sensacionais.

O
 máximo
    que
     eu
      faço
       é
      ir
       na
        venda
       sozinha.

Ruby Redfort mora numa casa maluca. Os pais dela são milionários, superultrafabulosamente ricos, e ela tem um mordomo de verdade, que faz uma porção de coisas pra ela.

O nome dele é Hitch. Os mordomos são sempre chamados só pelo sobrenome. Isso é normal no mundo dos mordomos.

A Ruby Redfort vai para a escola de helicóptero e tem um monte de aparelhos e engenhocas.

Tipo assim, até a roupa de ginástica da Ruby Redfort é fora de série.

O tênis dela tem umas molas especiais, e ela consegue pular por cima dos inimigos. O maiô tem uma hélice embutida, faz ela nadar rápido como um peixe.

A Ruby recebe correspondência no nome dela – imagine só!

E as cartas são superinteressantes e supersecretas, vindas de outros detetives, do presidente, gente assim, e são cheias de pistas em códigos estranhos.

Mas ninguém nunca desconfiou de nada. Claro – por que haveriam de desconfiar?

Esse é o grande golpe de inteligência da Ruby Redfort: ela não precisa de disfarce. Quem vai imaginar que uma menina de escola é uma superagente investigadora?

Ninguém, ninguém mesmo!

Como eu só recebo cartas no meu aniversário, comecei a pedir coisas pelo correio.

Tem uma porção de coisas grátis que eles mandam pra gente. Basta preencher um cupom.

Minha mãe fala que essa correspondência é só "lixo", mas eu acho interessante receber uma cartinha, nem que seja uma propaganda de colete térmico.

Meu pai recebe cartas em envelopes que dizem
CONFIDENCIAL.
Pelo jeito, acho que ele também é agente secreto.

Eu já dei uma espiada numa dessas cartas. Tinha um monte de números e datas e uma frase toda em vermelho dizendo:
ÚLTIMO AVISO.
Tudo isso é extremamente suspeito.

Outro dia, meu pai falou,
"Parece que vai haver umas mudanças lá no trabalho.
 Vou ter que
  me virar em quatro
pra conseguir
 uma fatia do bolo".
E ainda falou assim:
"O chefão está subindo pelas paredes. Acho que muita gente vai pro olho da rua se não acertar na bola. É jogo duro".
Não sei bem do que ele estava falando. Mas a Betty disse que tem quase certeza de que deve ser em código.

Meu pai disse: "Pode ter certeza – se eu fosse agente secreto, ia fazer minhas missões em algum lugar com sol, uma bela praia e sem telefone".

Meu pai vive com o telefone grudado na orelha, o dia inteirinho. Ele não pode ficar sem contato nem por um segundo.

Pra mim seria muito difícil ser agente secreta, porque minha família inteira vive metendo o nariz na minha vida particular, e é absolutamente impossível fazer qualquer coisa em segredo.

A Betty falou que para ser agente secreta a gente precisa ter um bom álibi para disfarçar nossas atividades, e um monte de aparelhos secretos, disfarçados de objetos comuns.

Assim, por exemplo, a Ruby Redfort tem uma torradeira que vira fax.

Se a gente aperta o botão pra b
                                    a
                                    i
                                    x
                                    o, vem uma mensagem
secreta do chefe da Ruby, lá do Quartel-General, e

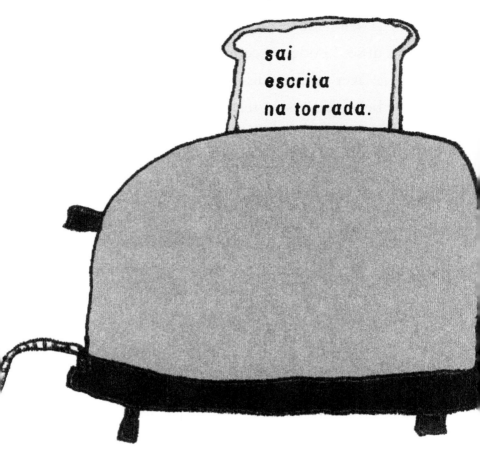

E depois que a Ruby lê, ela simplesmente come a prova do crime e ninguém nunca vai ver.

A Betty também disse: "A gente tem que ter muita autoconfiança e ser fria como uma pedra de gelo, pra ninguém desconfiar".

Os pais da Ruby não sabem ab-so-lu-ta-men-te nada

sobre a vida secreta dela como agente especial, sempre resolvendo mistérios, porque a Ruby não dá o menor motivo pra desconfiança.

Às vezes, a Ruby mal acabou de chegar de volta da Rússia ou de algum lugar do tipo, e os pais dela entram no quarto para dar um beijo de boa-noite. Às vezes, ela faz aquele truque de botar travesseiros debaixo do cobertor. Daí parece que ela está dormindo na cama, quando na verdade está a milhares de quilômetros de distância, e não de pijama de flanela, nada disso, mas sim com uma jaqueta forrada, escalando uma montanha.

Falei pra Betty: "Tentei colocar os travesseiros debaixo do cobertor, mas não funciona. Pelo menos pra quem tem uma mãe como a minha, que toda noite vem fiscalizar se a gente escovou os dentes... Acho que nem a Ruby Redfort seria capaz de enganar a minha mãe".

A Betty falou: "Sabe o que a Ruby Redfort faria? Muito simples: era só usar no quarto um spray com cheiro de pasta de dentes. Daí a mãe dela ia sentir

aquele cheirinho de hortelã e ia pensar que ela escovou os dentes, e não vinha nem examinar".
Claro, tão simples!
Simples depois que alguém já pensou.
Outro equipamento que a gente precisa ter de qualquer maneira para ser agente secreto é um supertelefone.
A Ruby Redfort tem telefones por toda parte – até no banheiro.
Às vezes, o mordomo Hitch traz o telefone para ela numa bandeja.
A Betty tem telefone no quarto.
Perguntei pro meu pai se eu podia ter um telefone no quarto.
Ele riu de mim durante quase nove minutos seguidos.
Isso que é bom nos pais da Betty – eles são muito legais.
Os pais dela sempre falam: "Pode me chamar de Cecília", "Pode me chamar de Marcos". Até a Betty chama os pais dela de Cecília e Marcos.
Eles deixam a Betty fazer o que ela quer, e dormir na hora que quiser.
A Betty é filha única.

Quer dizer, quase filha única. Ela tem um irmão chamado Zeca, que tem mais de vinte anos. Ele mora num apartamento e tem uma namorada japonesa.

Eu também tenho um irmão mais velho, o Edu. Pouca gente conhece o Edu, porque ele está sempre enfiado no quarto dele, sozinho. O quarto dele tem um clima estranho, um baixo-astral, e um cheiro esquisito, desagradável.

As coisas dele ficam todas esparramadas no chão e ele não deixa ninguém arrumar o quarto, nunca, jamais.

Minha mãe falou: "Adolescente é assim mesmo. Um dia ele cresce e isso passa".

Perguntei: "Quando?", e o papai falou: "Espera sentada, que de pé cansa".

Quer dizer, acho que vai demorar um pouco.

Segunda-feira

O livro da Ruby que estou lendo agora mesmo, neste exato momento, se chama Ruby Redfort é D+! Todos os livros dela começam do mesmo jeito:

Numa rua chamada Alameda dos Pinheiros, havia uma casa ultramoderna, toda branca e faiscante, com grandes janelas de vidro. E nessa casa morava uma menina muito especial, filha de Brant e Sabrina Redfort, gente da alta sociedade.

Brant e Sabrina chamavam sua menininha de Ruby, mas para os conhecedores ela era Ruby Redfort – agente secreta, detetive à paisana e especialista em solucionar mistérios.

Tem um desenho da casa dela, e um mapa com os túneis que servem de saída secreta.

Os livros sempre começam bem calminhos, uma coisa aconchegante, então você nem imagina o que vem pela frente.

> **Era uma linda manhã.** Dona Edith abriu as cortinas e o sol bateu em cheio no rosto angelical de Ruby Redfort.
> "Prefere *croissants* ou torradas?", perguntou a governanta, sempre solícita.
> "*Croissants*", disse Ruby com um bocejo, calçando suas pantufas bem fofas.
> "Muito bem, senhorita Ruby. Vou abrir a água para seu banho de banheira... Não precisa correr, há tempo de sobra."

Está vendo, a gente pensa que vai ser um tédio. Mas espere só!

> Ruby sentiu que aquele dia ia ser fabuloso. Teve um bom pressentimento sobre o...

"A mamãe falou
    que é pra você levantar da cama
         agora mesmo,
e se você quiser leite com cereal,
         azar seu,
    não tem mais."
Essa é minha irmã Márcia – já se vê pela estupidez. A mamãe sempre diz que, quando alguém distribuiu as boas maneiras, a Márcia devia estar no banheiro.

Tenho que ir
         pulando
              lá pra
                   baixo
porque só estou com um pé de chinelo. O outro pé nosso cachorro, o Cimento, enterrou no jardim, e até agora ninguém encontrou.
Provavelmente vai ser descoberto daqui a cem anos. Os arqueólogos vão escavar, dizer que é um achado fascinante e doar para um museu.

Desci e encontrei a cozinha
mergulhada no baixo-astral.
A Márcia não fala com a mamãe, e o
Edu não fala com a Márcia. Meu avô
também não fala com ninguém, porque
ainda não colocou o aparelho no ouvido.
O Grilo Falante está falando
comigo, mas bem que eu
gostaria que não falasse.
O Grilo é uma espécie de
mosquitinho irritante, e o pior é que ele dorme no
meu quarto. Às vezes, quando não quero deixar
ele entrar, eu boto um monte de troços
segurando a porta. Ele tem cinco anos.
Quem gostaria de dividir o quarto
com um irmão de cinco anos? Nem
preciso de mais irmão nenhum! Já
tenho um, que é um adolescente
chamado Edu, e em matéria
de irmãos isso é mais que
suficiente.

O Grilo perguntou: "Que horas a aranha foi no dentista?"

Nem me interessa ouvir a resposta. Aposto que não vai ser engraçada.

Estou tentando ler a caixa de cereais. Tem uma oferta boa de borrachas para lápis.

E o Grilo: "Na hora da aranha! Entendeu? Entendeu? Na hora da aranha!"

Falei: "Não entendi e não achei a menor graça".

Ele me agarrou pela manga e eu derrubei suco de laranja na blusa. Daí dei um peteleco nele.

Minha mãe: "Clarice, mas que pestinha! Comporte-se!

Quer fazer o favor de botar o casaco e correr para a escola?

Já, já, sem mais histórias! Levante essas meias! E não esqueça o lanche! Olha essa blusa, toda manchada e babada!"

Às vezes, quando dá, continuo lendo meu livro enquanto vou andando pra escola.

Ruby pegou o elevador na cozinha e desceu até a porta da frente.

"Até mais, Hitch", disse, entrando na limusine negra e luzidia, já a sua espera. Ruby ligou a TV de bordo. Gostava de ver seus desenhos favoritos antes de entrar na escola. A limusine seguia rápida, nenhum obstáculo à frente...

"Clariiiiiice, Clariiiiiice! Me espera. Estou aqui atrás!"

É meu vizinho do outro lado do muro, o Roberto. Ou melhor, Roberto Sem Alça.
Fingi que não ouvi e continuei lendo meu livro.

"Pensando bem", disse Ruby para seu chofer, "vou a pé".

Afinal, o dia estava lindíssimo, e assim ela poderia parar no mercado e comprar seu chiclete de bola preferido.

"Clariiiiiiice, sei que está me ouvindo!"

Esse Roberto!

Ele me deixa maluca.

Às vezes ele fica sentado no muro só esperando eu botar o nariz pra fora.

Passo a metade da minha vida tentando me livrar desse menino.

Minha mãe disse que eu tenho sorte, e que para uma menina isso é um elogio.

Ela falou que não é todo mundo que tem alguém que tem tanta vontade de ficar com a gente, que anda atrás da gente o dia inteiro.

Eu falei pra ela: "Se quiser ele só pra você, fique à vontade". Ele que ande atrás dela o dia inteiro com aquele casaco de náilon. Quero ver se ela vai achar que é uma sorte.

Ruby Redfort também tem um vizinho chato, mas ele tem setenta anos e não está na classe dela. Mas vive metendo o bedelho na vida dos outros, portanto é muito parecido com o Roberto Sem Alça.

O sr. Parker botou a cabeça para fora da porta e tossiu bem alto.

"Essa é a menina dos Redfort? Eu já lhe disse, não pise na minha grama! Por acaso seus pais sabem onde você está? Você não deveria estar na escola, menina? Sabe de uma coisa, acho que vou ligar para eles."

Ruby Redfort fez de conta que não ouviu nada.

"Bom dia, sr. Parker", disse Ruby, numa voz alegre. "Como está passando?"

Isso sempre deixava o sr. Parker ainda mais furibundo.

Entro na escola correndo e vejo que a Betty já chegou. Ela está com uns sapatos muito esquisitos, parecem estrangeiros.

A Betty viaja pelo mundo inteiro com a mãe e o pai, e eles têm amigos em todo o planeta, até na China, que fica a um zilhão de quilômetros daqui, no mínimo.

Os pais da Betty dizem que é essencial para uma criança conhecer o mundo, para se tornar uma pessoa culta.

Eles dizem que viajar pelo mundo é a melhor escola que se pode dar para uma criança. Muitas vezes, mandam a Betty de avião para algum lugar no último minuto, sem nem avisar com antecedência. É tudo muito estranho.
Como eu gostaria que o Roberto também viajasse pelo mundo!
Lá vem ele marchando atrás de mim e da Betty.
"Vocês já pensaram no projeto do livro? Sabe que deviam pensar, porque vai ter um prêmio para o melhor projeto, e o nome da gente vai escrito numa taça de prata que vai ficar no armário dos troféus, e todo mundo vai ver, está escrito lá no quadro de avisos. Eu e o Arnaldo já pensamos num projeto superlegal, e vamos ganhar o prêmio."
Conhecendo aqueles dois, claro que isso é absolutamente impossível.
O Roberto e o Arnaldo estão fazendo um projeto sobre dinossauros.
Eles disseram que arranjaram uns ossos autênticos de dinossauros pré-históricos, mas eu sei muito bem que

são ossos de galinha. Devem ser do almoço de domingo do Roberto.

Falei: "Esses ossos são muito pequenos pra serem de dinossauro".

E eles: "É que são ossos de um dinossauro bem pequenininho".

Falei: "Nunca existiu dinossauro pequenininho. Isso é galinha".

E eles: "É... é um dinossauro-galinha".

Daí falei: "Que interessante! Não sabia que dá pra comprar dinossauro no supermercado".

Mas, na verdade,
bem que nós duas ficamos pensando.
Já vimos a tacinha de campeão no armário de vidro dos troféus.
Eu e a Betty queríamos mesmo ganhar a taça, mas claro que a nossa cabeça está vazia. Ideia que é bom, necas. Também estamos pensando no que poderia ser o tal prêmio misterioso.

35

Acho que talvez seja um *walkie-talkie*, mas a Betty acha que vai ser uma máquina fotográfica dessas instantâneas.

Seja lá o que for, nós queremos.

Depois da aula eu fui com a Betty pra casa dela, pra conversar sobre o nosso projeto.

Eu adoro ir na casa da Betty, é muito gostoso, e às vezes o jantar é apenas uns salgadinhos e um refrigerante!

Mas em geral o Pode-Me-Chamar--de-Marcos fala assim: "Vamos lá no *Wah Chung*".

É um restaurante chinês superchique, com cadeiras de veludo cor de vinho.

Mas às vezes ele faz um jantar com o que tiver no armário – pode ser só uma batata e um pedaço de queijo desses com cheiro esquisito.

A casa deles é supermoderna, como a da Ruby Redfort.

A cozinha é em cima, imagine.

    É um
espanto.

Logo que a gente entra, tem que tirar os sapatos e calçar um chinelo especial.

Eles aprenderam isso no Japão.

Contei pra minha mãe.

E ela:"Clarice Bean! Quantas vezes eu já te pedi para tirar os sapatos em casa! E por acaso você tirou? Não!!!"

É verdade.

Mas é engraçado que na casa da Betty é divertido tirar os sapatos.

Acabamos quase não falando sobre o concurso da escola, porque a gente não consegue parar de falar sobre a Ruby Redfort.

Eu e a Betty estamos lendo a série inteira loucamente.

Não dá pra parar. E, quando a gente termina a série toda, começa a ler tudo de novo.

Acabo de chegar num pedaço onde a Ruby Redfort é candidata a representante da classe.

Vai haver uma eleição na
escola dela.

Naturalmente, a dona Dorothy, professora da Ruby, não está nada contente, porque ela e a Ruby nunca estão de acordo. É claro que a Ruby tem um monte de ideias pra mudar as coisas, tipo assim, aumentar o tempo do recreio.
Eu queria tanto que existissem mais livros da Ruby... Pensei em mandar uma carta para a Patrícia F. Maplin Stacey, a autora, e dizer pra ela fazer o favor de escrever mais depressa.
Daí a tia Pode-Me-Chamar-de-Cecília falou: "Ora, por que não faz isso? As pessoas adoram saber que os outros gostam dos livros que elas escreveram".
A mãe da Betty sabe isso porque ela é escritora.
Na quarta-feira, ela vai autografar os livros dela num outro país.
Ela é absolutamente conhecidíssima e os livros dela estão à venda em todas as boas livrarias.

Daí
nós
escrevemos:

Prezada Patrícia F. Maplin Stacey,

Somos leitoras ardorosas da série Ruby Redfort,
e já lemos todos os livros pelo menos uma vez.
O que nós gostaríamos de saber é quando vai sair o próximo livro da Ruby Redfort, e qual vai ser o título?

Outra coisa, na página 106, capítulo 8 do
"Corra, Ruby!",

Por que aquele malvado, o Hogtrotter, não checou direito se tinha fechado a porta da adega?

E outra coisa, na página 33 você disse que a Ruby estava de óculos, e depois falou que ela não estava enxergando bem porque estava sem os óculos de leitura.

Esperamos sua resposta ansiosamente.

Betty Morais e Clarice Bean.

p.s. Nós achamos que você deveria escrever um pouco mais depressa.

Cada uma escreveu uma carta e mandamos duas cartas separadas, para o caso de uma se perder no correio.
Tia Cecília nos deu uns selos, e vamos botar no correio amanhã.
Ela nos perguntou o que está rolando na escola, e nós contamos desse concurso sobre livros chatos, que nós queremos ganhar.
E ela perguntou: "Mas por que vocês têm que escolher um livro chato?"
E ela tem razão. Por que mesmo?
O problema é que a gente não consegue encontrar um livro que seja interessante e também que ensine alguma coisa.

Terça-feira

Estou um pouco ansiosa porque eu e a Betty não conseguimos pensar num projeto com os livros.
E também estou atrasada, porque não consigo parar de ler o RUBY REDFORT É D+!

Ruby chegou calmamente na escola, sem

precisar correr. Afinal, já estava 20 minutos atrasada — que diferença fariam mais cinco minutos?

Sempre dava para arranjar alguma desculpa. Teve de passar reto pela dona Kate, secretária da escola, mas isso não foi difícil.

Dona Kate não podia com as desculpas de Ruby. Por mais que a pobre secretária tentasse, nunca conseguia fazer Ruby reconhecer que estava aprontando alguma coisa.

O problema era dona Dorothy. Nenhuma professora era tão severa como a dona Dorothy. Perto dela, o malvado Conde Visconde era um gatinho inofensivo.

Ruby entrou calmamente na sala de aula, afundou-se na carteira e começou a se balançar. Mas, para sua enorme surpresa, dona Dorothy não lhe deu a tradicional bronca, mas sim um sorriso simpático, radiante.

Imagine, dona Dorothy sendo boazinha e simpática! Ora, ora, alguma coisa estava errada.

E, enquanto a aula foi passando, Ruby percebeu que não estava se chateando! Ora, era impensável imaginar uma aula da dona Dorothy que não fosse extremamente chata.

Sem dúvida, havia alguma coisa no ar.

Será que a dona Dorothy virou marciana? Ou foi substituída por uma impostora que fingia ser a dona Dorothy?

Que pena que a dona Clotilde não virou marciana. Logo de cara me mandou um olhar feroz por causa do meu atraso. Daí falou: "Espero que todos tenham pensado muito bem nos seus projetos. Para quem ainda não escolheu seu livro, eu mesma vou escolher".

Essas palavras me deram um frio na barriga,

porque sei muito bem que tipo de livro a dona Clotilde é capaz de escolher.
Tipo *A vida secreta das lesmas*. Ou então sobre balé. Ou então, lesmas que dançam balé.
Olhei para a Betty, e a Betty olhou para mim. Fiz uma cara de "Socorro! O que vamos fazer?".
E ela fez cara de "Sei lá, como é que eu vou saber?".
Comecei a entrar em pânico. Se a gente não conseguir pensar em nada, vai ser jogo duro.
Primeiro, levar a maior bronca e, depois, ter que seguir uma daquelas ideias horrorosas da dona Clotilde.
Por que será que a Betty não arranja um bom plano?
Ela sabe muito bem bolar coisas que deixam a dona Clotilde feliz.
E ela **nunca** se mete em nenhuma fria.
É verdade!
Nunca!
É como se a Betty tivesse caído nas garras do Conde Visconde.

É como aquele pedaço em Quem Vai Salvar Ruby Redfort?, quando o Conde Visconde tenta fazer lavagem cerebral na Ruby e roubar todas as boas ideias dela.

Ele fica com os olhos assim vidrados e, quando você vai ver, ele está hipnotizado.

Dona Clotilde está andando pela sala. Está quase chegando aqui na minha carteira.

A Alexandra disse que o projeto dela vai ser sobre a vida de antigamente, porque ela adora o passado.

Disse que vai vestir uma roupa antiga e fingir que é uma pessoa de mais de cem anos atrás, e distribuir docinhos do século 19. Ela arranjou essa ideia de um livro chamado *No tempo da monarquia*.

Pra falar a verdade, eu bem que gostaria de ter pensado nisso.

Meu primo Noé e minha amiga Suzy Woo vão fazer um projeto sobre um livro chamado *Rango global*, mostrando comidas do mundo inteiro, e vão fazer comida de verdade no seu estande da exposição.

A dona Clotilde está quase falando meu nome

e já estou sentindo um nó no estômago. Mas assim que ela falou: "Clarice Bean, qual é seu projeto para a exposição?", a dona Marta enfiou a cara na porta e disse: "Dona Clotilde, o seu Tomás quer falar uma palavra com a senhora".
E assim, num piscar de olhos,
lá vai ela, toda apressadinha,
                    feito uma baratinha.

Já é depois do intervalo. Dona Clotilde está bufando de raiva por causa de alguma coisa.
Deve ser por causa do Carlos Zucchini.
Em geral é culpa dele.
Carlinhos é o menino mais terrível da escola, e está na minha classe. Todo dia ele apronta alguma confusão.
Uma vez ele abriu o armário do zelador e roubou umas placas que diziam:
ESTE BANHEIRO ESTÁ QUEBRADO!
Daí pregou as placas em todas as portas, inclusive na sala do seu Tomás.
Levou uma suspensão e foi mandado para casa.

A dona Marta disse que ele deve ser uma criança hiperativa, e que não deveria tomar refrigerantes. Dona Clotilde disse que não há desculpas para o mau comportamento, e que o problema do Carlos é simplesmente que ele decidiu atrapalhar as aulas e estragar a vida de todo mundo.

Eu escutei ela falando para o zelador, o seu Etelvino: "A culpa é dos pais".

E o seu Etelvino respondeu: "Isso mesmo".

Dona Clotilde falou: "Lamento, mas sou obrigada a dizer a vocês que alguém – não vou citar nomes, cada um tem a sua consciência –, mas enfim alguém andou fazendo bagunça antes da aula e inundou de água o banheiro dos meninos".

Fiquei meio inquieta pensando que talvez fosse eu, apesar de que jamais estive no banheiro dos meninos, jamais.

Bem, o fim da história é que foi mesmo o Carlinhos, junto com o Tobias.

Os dois são chamados à sala do seu Tomás e não voltam mais.

Na hora da saída, fui pegar meu casaco no cabide, mas as mangas estão esquisitas e agora o casaco tem zíper em vez de botões. A mesma coisa aconteceu com os outros casacos.

O problema é que todos os casacos foram parar nos cabides errados. Levei um tempão para encontrar o meu. Como será que isso aconteceu? O Carlinhos nem estava na escola hoje de tarde…

Muito estranho.

Na volta pra casa, parei para comprar umas coisinhas básicas, quer dizer, um pacote de batatinha frita. Só que, infelizmente, quando saí da lojinha o Roberto Sem Alça estava parado na porta.

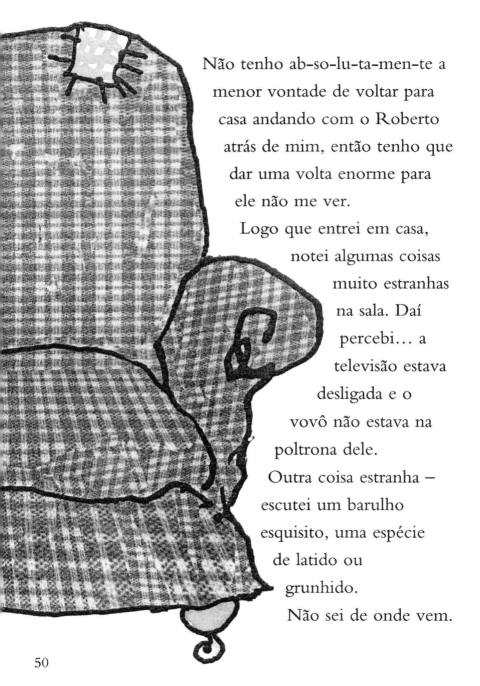

Não tenho ab-so-lu-ta-men-te a menor vontade de voltar para casa andando com o Roberto atrás de mim, então tenho que dar uma volta enorme para ele não me ver.

Logo que entrei em casa, notei algumas coisas muito estranhas na sala. Daí percebi... a televisão estava desligada e o vovô não estava na poltrona dele.

Outra coisa estranha – escutei um barulho esquisito, uma espécie de latido ou grunhido.

Não sei de onde vem.

Não pode ser o Cimento, porque ele está bem aqui do meu lado, todo alegre, comendo o bloco de recados. Tentei arrancar o bloco da boca dele, porque vi que ele estava engolindo um recado de alguém, não sei quem.
Só consegui ler estas palavras: "… tempo de avisar, mas vai para a Rús…"
O que será que isso quer dizer?
Quem não teve tempo de avisar quem?
E por que tanta pressa?
Estou pensando no que fazer quando o telefone toca.
É a mamãe: "Clarice, fala para o seu irmão colocar o jantar no forno?"
Falei: "Tem uma coisa esquisita acontecendo. Estou ouvindo uns grunhidos…"
E minha mãe: "Dona Petrônia… assim não! Calma! A senhora vai se machucar… Um momento, já vou!
Não se mexa! Espere aí mesmo!"
  E a linha caiu.

Minha mãe trabalha no lar dos idosos, ensinando dança.

Ela disse que dançar é muito perigoso quando os quadris da gente não estão mais em forma.
Bom, tirei meu caderninho da bolsa
e escrevi:

Ocorrência estranhíssima na sala.

É o tipo da coisa que Ruby Redfort diria.

Vovô sumiu
e ouço latidos, ou serão grunhidos?

Minha mãe não está dando a mínima.

O que está acontecendo?

Sublinhei essa frase várias vezes
porque
essa é a
grande pergunta.

O Edu conseguiu estorricar o jantar, e tudo está com gosto de queimado, mas isso não é estranho.
O mais incrível é que hoje ele parece feliz!
Amanhã vou contar tudo pra Betty.

Quarta-feira

Acordo e já começo a ler. Li até descendo a escada pra tomar o café da manhã.

Ruby Redfort entrou calmamente na cozinha, onde a maravilhosa dona Edith já estava fazendo panquecas.

O aroma era delicioso, dava água na boca...

Papai pergunta, "O que você quer comer hoje?"
"Panquecas", falei.
E o papai, "Panquecas?? Hã!? Pois faça você mesma".
Falei, "Tudo bem, eu faço".
E a mamãe, "Acabaram os ovos".

Dona Edith jamais deixaria os ovos acabarem.

Chego na escola e não vejo a Betty em lugar nenhum.

O que será que aconteceu? Ela nunca, ab-so-lu-ta-men-te nunca, jamais chega atrasada na escola.

Exceto muito raramente.

Quem sabe ela está com catapora ou febre alta?

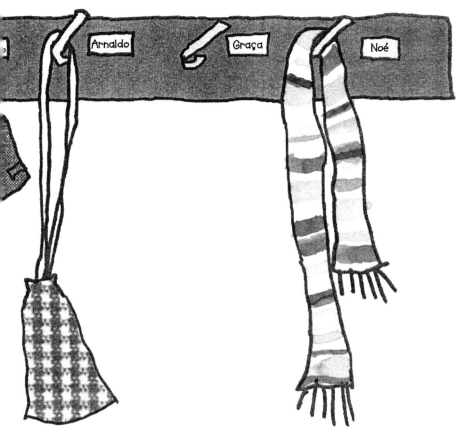

A Graça Grapello também não veio, viva!
O pior é que não há como escapar: tenho que contar à Dona Clotilde qual vai ser nosso projeto.
Fico pensando: "O que faria Ruby Redfort nessa situação?"
Ruby Redfort sempre se sai com alguma resposta esperta quando a dona Dorothy pega no pé dela.

Ela diria alguma coisa assim:
"Bem, dona Dorothy, o problema é o seguinte, eu estava andando por aí, tratando da minha vida, quando, imagine só, fui atacada por um bando de gatos selvagens e, na minha desesperada luta contra eles, bati a cabeça, então agora estou sofrendo de amnésia".
Quer dizer, ficar sem memória.
"Então, sabe como é, dona Dorothy, é impossível dizer para a senhora qual é o meu projeto para exposição pois esse fato foi apagado da minha mente; se a senhora não acredita, basta telefonar para nosso mordomo, o Hitch".
Daí a dona Dorothy poderia dizer: "Pois bem, senhorita Redfort, creio que é exatamente o que vou fazer".
E quando ela liga para o Hitch, ele diz: "Oh, sim, claro, sra. Dorothy. Infelizmente creio que foi isso mesmo o que aconteceu".
O Hitch sempre defende a Ruby.
Eu adoraria ter um mordomo, mas o papai disse que é muito caro.
"Clarice Bean! Pela terceira e última vez,

quer fazer o favor de responder minha pergunta?" Quando vi, eu já estava dizendo: "Hã... Qual era a pergunta, mesmo, dona Dorothy?"

Dona Clotilde me olha com os olhos apertadinhos de ódio e diz: "Senhorita Clarice, talvez seja difícil demais para a senhorita se lembrar, mas todos aqui sabem que o meu nome é dona

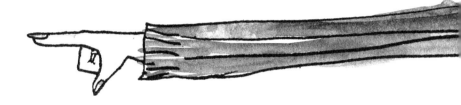

C - L - O - T - I - L - D - E

Entendeu bem? Clotilde".

E Dona Clotilde diz: "Minha pergunta foi: qual será o tema do seu projeto de livro e, afinal, você vai ou não vai entrar no concurso?"

Olho para minha carteira, para o meu livro RUBY REDFORT É D+!, e estou quase dando a desculpa da amnésia pra dona Clotilde, quando alguma coisa sai da minha boca sem querer.

Não tive intenção de falar, mas é como costuma dizer a Ruby Redfort: "Às vezes a resposta está bem debaixo do nariz da gente. E às vezes a gente simplesmente tem que dar alguma resposta, mesmo que seja uma resposta um pouco errada".

O que eu digo é: "Sim, dona Clotilde, eu e a Betty Morais vamos fazer um projeto sobre a Ruby Redfort – agente secreta e superdetetive".

Todo mundo ficou mudo de espanto. Na maior vontade de ter pensado em alguma coisa assim.

Dona Clotilde também ficou muda de espanto, e achou que não era muito boa ideia.

Como é que eu sei? Porque ela fez uma boquinha bem apertadinha e disse: "Acho que não é muito boa ideia".

Daí perguntou: "Posso saber o que foi, exatamente, que a senhorita acha que aprendeu com esses livros?"

E aí que está o problema: não consigo pensar em nada que aprendi com os livros da Ruby, mas tenho certeza de que a Betty vai pensar em alguma coisa.

Volto para casa
ab-so-lu-ta-men-te
entusiasmada.

Ruby Redfort ficou eletrizada! Tinha conseguido vencer a tal dona Dorothy. Pelo menos desta vez.

Dona Dorothy estava decidida a frustrar a ideia de Ruby de ser representante da classe, e impedir que ela fizesse mudanças no uniforme da escola e na duração do recreio – mudanças que a classe toda exigia aos brados.

Chego em casa e vou logo ligar pra Betty
para contar a boa notícia, mas ninguém atende
o telefone.
Estou ficando **preocupada**.
Quem sabe toda família dela está de cama com catapora?
Bom, mesmo que estivessem, poderiam atender o telefone, porque eles têm um monte de telefones por

todo lugar, para o caso de uma emergência, tipo assim, uma catapora.

Estou escutando outra vez aqueles latidos. Vêm do quarto do vovô, e sem dúvida não é o Cimento, porque o Cimento não dá esses grunhidos. Além disso, o vovô está dando sua caminhada diária. Ele deixou um bilhete.

Olho pelo buraco da fechadura e acho que estou vendo alguma coisa se mexer, e não pode ser o nosso gato, o Fuzzy, porque ele está bem aqui do meu lado.

Tem alguma coisa muito esquisita acontecendo. Resolvi dar uma rápida olhada no quarto do vovô, mas nesse momento escutei ele entrando em casa, então agarrei logo o telefone e fingi que estava conversando com a dona Célia, nossa vizinha.

É exatamente o tipo de coisa que a Ruby Redfort faria.

O problema é que o vovô me ouviu fingindo bater papo

com a dona Célia – e aliás, eu não gosto nem um pouquinho dessa vizinha –, e daí o vovô me pede pra perguntar se ela pode emprestar a cestinha de levar o cachorro.

Bem, isso significa que vou ter que ligar especialmente para a dona Célia, do contrário ele vai farejar alguma coisa estranha.

Isso nunca acontece com a Ruby Redfort.

Daí o vovô diz: "Ah, sua amiga Betty ligou hoje de manhã". Perguntei, ansiosa: "Deixou recado?"

"Falou que estava com pressa. Não escutei direito o resto porque a ligação estava muito ruim."

Com pressa? Mas por que a Betty estaria nessa correria toda?

Será que tem alguém correndo atrás dela? Depois do jantar, estou louca para voltar para o meu livro. Não posso ir ler no quartinho lá em cima porque, misteriosamente, minha lanterna sumiu. Quem sabe até foi roubada. Então tenho que ler no meu quarto. Neste momento estou lendo este pedacinho – é superemocionante –, não aguento mais de curiosidade.

A noite caiu sobre a cidade como um manto negro. Não havia nem uma única estrela brilhando no céu. Era como se o céu não existisse.

Está vendo, só isso já prende a atenção da gente.

Ruby Redfort estava deitada na cama, comendo pizza e tomando um refrigerante. Não tinha tirado o uniforme e ainda estava com os pesados sapatos pretos.

Minha mãe ficaria ab-so-lu-ta-men-te maluca se eu deitasse na cama de sapatos.

A TV super de luxo, com som *surround*, mostrava o programa favorito de Ruby Redfort, "Tiras Malucos", estrelado por Dirk Draylon, possivelmente o homem mais bonito do planeta.

Alguém bateu à porta discretamente.

"Entre", disse Ruby, com a boca cheia de pizza.

A porta se abriu e veio entrando com passos leves seu leal amigo e mordomo, Hitch.

Numa bandeja de prata, ele trazia um reluzente telefone cor-de-rosa. Era apenas um dos muitos telefones de Ruby Redfort.

"Um certo sr. Hogtrotter quer falar com a senhorita. Está insistindo muito."

Ruby sentou-se de repente na cama. O copo de refrigerante caiu no chão.

Pegou o telefone e disse, fria como uma pedra de gelo: "Há quanto tempo, Porky. Achei que você já tinha se aposentado".

"Eu não, dona Boazinha", respondeu uma voz aguda, estridente e ao mesmo tempo sinistra. "E o que você quer desta vez? Não estou a fim de bater papo. Minha pizza está esfriando."

"Não se preocupe, serei breve... Achei que você poderia se interessar por uma notícia. Dirk Draylon não está aparecendo muito na televisão ultimamente porque está trabalhando para um amigo meu... Alguém com quem você não simpatiza muito."

E nisso a linha caiu.

"Não pode ser!", pensou Ruby. "Não pode ser o..." Ela não conseguia nem pensar naquele nome. "Dirk Draylon jamais trabalharia para o... Não, é inimaginável! Impossível! Fora de cogitação!"

Ruby desligou e disse: "Hitch, vou precisar do meu equipamento de mergulho".

Levantei para apagar a luz e, imagine só, o vovô vem entrando pelo jardim na ponta dos pés, de chinelo!

E está com a minha lanterna na mão –
o malandro!
Chegando no galpão, abre a porta e entra.
Será que ele está ficando maluco?
Ou está
tramando alguma coisa?

Seja lá o que for, é estranhíssimo, e estou decidida a ir até o fim para descobrir o que está acontecendo, nem que seja a última coisa que faça na vida.
Tenho que acender a luz de novo para escrever isso no meu caderninho. Como eu gostaria de ter um gravadorzinho de fita daqueles minúsculos como o da Ruby Redfort. As coisas ficam muito mais fáceis, e a gente não precisa ficar levantando toda hora para acender e apagar a luz.

Na quinta-feira eu tenho natação. Eu não gosto de ir – a água é meio fria. Só vou porque a gente ganha batata frita depois.

Não sou boa nadadora. Não consigo mergulhar de pijama e buscar um tijolo lá no fundo. A Betty consegue.

Mas também não sei por que a gente precisa aprender a salvar um tijolo do fundo da piscina, estando de pijama. Duvido que algum dia a gente esteja de pijama e precise salvar alguma coisa.

É uma emergência muito rara. A Betty tem aqueles superóculos de natação e tudo mais, e pode até virar uma nadadora olímpica. Ela já ganhou uma medalha.

O Roberto Sem Alça só consegue nadar em estilo cachorrinho. Espirra água pra todo lado, e às vezes vai arrastando os pés no fundo da piscina.

Meu estilo de mergulho é me jogar com os braços bem esticados, mas funciona. O prof. Pedro disse que o nome técnico do meu estilo é "barrigada".

O prof. Pedro está meio chateado hoje porque a Betty não veio no treino de natação, e ela é a esperança da nossa equipe.

Eu também estou um pouco chateada, porque sinto falta da Betty.

Não faço
a menor ideia
de onde ela está.

A única coisa interessante que aconteceu hoje é que o Carlinhos correu atrás do Tobias em volta da piscina, tentando abaixar o calção dele, de brincadeira.

Mas daí ele caiu na parte funda e começou a se afogar um pouquinho

e o prof. Pedro
 teve de
   arrancar
      os
     sapatos
        e
         mergulhar de cueca!

E aí falou,
"É por isso que temos uma regra que diz:
         nada de brincadeiras estúpidas
    na piscina!

Da próxima vez o Carlos
            não vai ter tanta sorte.
      Ele vai ver só."

Foi muito dramático, e quando voltei para casa, desenhei o Carlinhos quase se afogando e mandei pra minha avó. Ela gosta de saber das novidades.

Antes de deitar, faço várias tentativas de entrar no banheiro para escovar os dentes. Mas, misteriosamente, sempre tem alguém lá dentro.
Resolvo esperar na porta, lendo meu livro.

Ruby pulou de costas do iate em alta velocidade e mergulhou sob as águas calmas, negras como veludo.

Nadou sem esforço. Só as bolhas que saíam com a respiração mostravam que ela era um ser humano e não um peixe.

Finalmente enxergou algo. O brilho mortiço de uma luz... uma janela.

Aproximou-se e viu uma entrada circular, que se abriu de lado. Ruby entrou, deslizando em silêncio.

Já dentro do compartimento, subiu uma escada, saiu da água e entrou numa sala branca e bem iluminada. Ali tirou o traje de mergulho e vestiu roupas secas.

Ouviu então uma voz no intercom:

"Boa noite, Ruby. É sempre um prazer revê-la, mas imagino que esta não seja apenas uma visita social."

"Não, pode-se dizer que eu preciso de uma mãozinha. As coisas andam muito esquisitas em Twinford ultimamente, e tenho uma forte sensação de que tudo isso pode levar até você-sabe-quem."

Houve uma pausa.

"Tem certeza?"

"Bem, certeza não, é mais uma intuição, mas dá para perceber as marcas dele por todo o lugar. Sabe como é, pessoas se comportando de um jeito estranho, as coisas não tão bem como deveriam ser. Não sei. Tenho a sensação de que algo muito importante está para acontecer. E você sabe o que acontece quando eu tenho essas sensações estranhas."

"Sim", disse a voz, "em geral você tem razão".

Esperei muito tempo, até que afinal a porta do banheiro se abriu.

E adivinhe quem saiu?

Edu.

Usar o banheiro não é muito normal no caso dele. Minha mãe diz que o Edu e a higiene não se dão muito bem. Para ter higiene, a gente precisa usar água e sabão. Ele está com cheiro de limpeza, não lembra nem um pouco o mofo do quarto dele.

Sexta-feira

De manhã as coisas estão mais esquisitas ainda, e estou começando a farejar algo estranhíssimo.

Para começar, não acho minha escova de cabelo.

Sumiu.

Minha mãe está meio

estranha. Ela me deixou comer cereal no sofá vendo televisão, algo ab-so-lu-ta-men-te proibido porque o leite pode derramar, e é muito difícil limpar leite do estofado.

Estou contente porque o desenho é o do **Cachorrinho Biby e Seu Amigo Babão**.

É um desenho muito engraçado sobre um cachorro meio bobinho e o amigo dele, um ratinho que vive babando.

Como eu gostaria de ter tido essa ideia. Imagine só, pensar algo assim.

O pessoal da TV tem tantas ideias legais. Acho que eles devem fazer isso o dia inteiro – pensar, pensar e pensar.

Imagine só – ganhar dinheiro para pensar!

Como eu adoraria trabalhar na televisão.

Tenho montes de ideias.

Não paro nunca nunca nunca de pensar nas coisas.

Acho que eu iria ganhar zilhões por semana só para ter ideias.

O telefone toca e escuto minha mãe dizer: "Sim? É mesmo? Ah, não! O quê? Ah, meu Deus do céu, vou já, já".

Daí a mamãe grita: "Clarice, Miguel, rápido, entrem no carro, vocês vão se atrasar para a escola!"
Eu digo: "Mas, mamãe, ainda são sete e meia!"
E ela: "Bem, imagine a surpresa da dona Clotilde quando você chegar cedo".
Daí eu digo: "Imagine a surpresa da dona Clotilde quando eu chegar de pijama".
E ela: "Bem, você tem exatamente cinco segundos para encontrar alguma coisa parecida com seu uniforme de escola!"
Daí pergunto: "Mas o que está acontecendo?"
E ela: "Não tenho tempo para explicar. Vamos, vamos logo!"
Isso é estranho ou não é?

Chego na escola às 7h45.

Não tem ninguém, só a faxineira, que me dá um biscoito do armário do zelador.

Perguntei a ela sobre o misterioso incidente dos casacos que trocaram de lugar, e ela disse que o seu Etelvino teve que tirar todos os casacos quando o banheiro dos meninos ficou inundado.

Falou que tudo estava num estado terrível, e que o seu Etelvino tinha decidido fazer uma faxina geral.

"Ele até limpou os armários com os troféus que a escola ganhou e tudo o mais. Tudo que você pensar já foi limpo."

Eu estava torcendo pra ser algo mais misterioso, mas, enfim, acho que é bom quando alguma coisa se resolve.

Quando a dona Clotilde me viu, fez mais um dos seus comentários idiotas. Disse que era a primeira vez que eu chegava na hora, e que era uma pena eu não fazer a felicidade dela mais completa ainda, penteando o cabelo uma vez na vida.

Ela falou: "Clarice Bean! Sabe o que parece? Que alguém arrastou você pelo cabelo no meio do mato".
Como eu gostaria que alguém arrastasse a dona Clotilde pelo cabelo no meio do mato!
Ela é tão ruim quanto a dona Dorothy. Acho até que a Patrícia F. Maplin Stacey inventou essa personagem quando conheceu a dona Clotilde.

Na nossa classe, várias pessoas estão falando sobre o que vão mostrar na exposição para o Dia da Visita dos Pais.
Resolvi não falar sobre meu projeto porque estou tentando mantê-lo secretíssimo, ultra-top-secret, já que há perigo de plágio por parte de você-sabe--quem, além de outras pessoas que eu poderia citar.
Puxa, se a Betty estivesse aqui, eu poderia conversar com ela nosso assunto ultra-top-secret.
Mas ela faltou à escola hoje outra vez.
Ninguém sabe onde ela anda.
A Graça Grapello não sabe da minha ideia, por sorte ela não estava na sala quando falei do nosso projeto.

Eu sei o que a Bruna Garcia está fazendo – bem o tipo de projeto que faz a cabeça da dona Clotilde. Ela escolheu um livro chamado *Austrália, Terra Maravilhosa*.
O projeto dela é sobre os cangurus e seus hábitos. Ela disse que vai passar o dia inteiro dando pulos, só para ver como é.
O André está fazendo a mesma coisa, mas com outro bicho parecido com o canguru, o *wallaby*.

Depois do recreio, fico ainda mais irritada com a dona Clotilde.
Ela disse que eu escrevo as palavras cada hora de um jeito, e que é até interessante ver como eu sou capaz de escrever a mesma palavra de tantas maneiras diferentes.
Daí falou: "Continue tentando adivinhar… Quem sabe um dia você acerta".
Como eu queria que a dona Neide ainda fosse minha professora. Ela era muito boazinha, e sempre falava "Muito bem!" quando a gente tentava acertar, mesmo que fosse uma coisinha mínima.

Mas agora, nem que a gente se esforce ao máximo, não basta para uma certa pessoa cujo nome começa com C. Papai sempre diz para eu tentar ficar bem longe das vistas dela.

Mas COMO??? Pois eu estou na classe dela todos os dias da minha vida!

Como eu gostaria de ser gente grande.

Papai diz: "Não pense que fica mais fácil. Sempre tem alguém mandando na gente".

Ele sempre fala que o seu Herculano, chefe dele, é cheio dos truques e dos golpes, e ele tenta ficar longe desse homem o máximo possível.

Falei: "Pelo menos você ganha dinheiro pra esse cara mandar em você. E eu sou obrigada a obedecer de graça".

Não consigo me concentrar porque estou muito ocupada imaginando que a dona Clotilde é uma hipopótama. Acabei de escrever:

Dona Clotilde é um ipopótumo

Dona Clotilde é uma ipopótuma

um monte de vezes, sem nem pensar no que estava fazendo. E não percebi que a dona Clotilde estava bem atrás de mim, lendo tudo.

Daí ela falou: "Será que alguém nessa classe poderia, por favor, ajudar a Clarice Bean e corrigir a ortografia da palavra hipopótama?"

É claro que Roberto Sem Alça levanta a mão, o que é uma piada, porque ele é a última pessoa que seria capaz de escrever direito a palavra hipopótama.

Para minha sorte, a dona Marta vem chegando.

Dona Marta parece um porco-
-espinho de salto alto.

Daí ela chamou: "Clarice Bean, queira vir até a secretaria. Sua mãe está esperando".

Todo mundo fica olhando enquanto eu saio da sala. Eles sabem que tem algo muito importante acontecendo, já que vou perder a oportunidade de passar mais duas horas assistindo a dona Clotilde ser horrorosamente chata.

Mamãe vai andando bem depressa pelo pátio do recreio, tenho que correr para acompanhá-la. Quando eu entro no carro, lá está o Grilo Falante falando sozinho, tagarelando como um papagaio. Mamãe diz: "Desculpe arrancar você da classe assim

tão cedo, mas você não imagina que dia eu
tive hoje!

Não vai ter ninguém em casa para abrir a porta para você depois da aula, então você tem de vir comigo".

E completou:
"Quando não é
uma coisa, é outra. Tem sempre alguma
coisa pra atrapalhar".

Perguntei: "Cadê o vovô?
Por que ele não está em
casa?"

Mamãe disse: "Vovô se meteu numa tremenda encrenca".

O problema é que ele foi proibido de visitar o seu melhor amigo, o tio Humberto, que está no lar dos velhos. E esse tio Humberto já está quase convidado a sair desse lar dos velhos, pois já ficou bem claro que ele é incapaz de obedecer às regras e se comportar como um senhor distinto da terceira idade.

Até a semana retrasada o tio Humberto morava num apartamento próprio, com dois cachorros – um pequinês e uma pastora alemã. Mas os conhecidos disseram que ele não conseguia mais subir a escada direito, e por causa disso, e mais uma coisa e outra, ele teve de mudar para esse tal lar dos idosos, com supervisão vinte e quatro horas.

Foi para
o seu próprio bem.
Tio Humberto disse que não se importava de mudar, e que seria ótimo alguém cozinhar para ele. Claro, quando morava sozinho ele só comia torrada com queijo, e às vezes só queijo sem torrada.

Mas existe um "probleminha" enorme – o Lar dos Idosos Vida Mansa não permite ter cachorro, de modo nenhum, nem gato, absolutamente nada.

Você pode ter um periquito, se quiser.

Mamãe disse: "Todo mundo achou que o tio Humberto tinha dado os cachorros para a dona Carla". Mas nada disso. Uma certa pessoa, chamada vovô, é que ficou com os dois – a pastora alemã, a Flossie,

está morando no galpão do nosso quintal, e o pequinês, o Ralf, está com o vovô no quarto dele. Todas as noites ele sai escondido e leva os dois de contrabando para o tio Humberto, no lar dos velhos. E todos os dias de manhã ele vai até o lar buscar os cachorros e traz os dois pra casa.
Infelizmente, o Ralf escapou e atacou o periquito da dona Paula, o Oliver. Ele mastigou o Oliver até o coitado morrer.
Daí a dona Paula fez uma queixa contra vovô e tio Humberto, e sobrou para a mamãe. Agora é ela que tem que colar os caquinhos.
Temos de esperar no corredor enquanto a mamãe esclarece as coisas com o tio Humberto e tenta achar algum outro lugar para ele morar, onde eles deixem ter um bichinho.
Mas falar é fácil, fazer é que são elas.
Tio Humberto não tem família, só tem um filho que mora no Alasca e há mil anos não aparece.
A mamãe diz que alguém tem que salvar a situação.

O Grilo Falante consegue passar uma hora fingindo que está dirigindo um carrinho em volta do tapete. O carrinho é feito de rolos de papel higiênico. Graças aos céus, tenho meu livro.

Ruby Redfort voltou para casa depois de um longo e difícil dia na escola. Chutou os sapatos e subiu correndo para a cozinha.

A mãe, a sra. Redfort, estava lá, ocupada com seja lá o que for, e o pai lendo a página de esportes do jornal.

O mordomo Hitch preparava elaborados coquetéis de frutas. Atraindo a atenção de Ruby, Hitch apontou discretamente para o relógio. Ruby fez um sinal de compreensão.

O tempo era curtíssimo – Hitch e Ruby eram esperados no Quartel-General às cinco da tarde.

"Ei, mamãe, ei, pai! Preciso dar uma olhada no... no livro de História. Tipo assim, lição de casa, sabe como é?"

"Claro, minha querida. Que bom que você está dando tanta atenção aos seus estudos", disse a mãe. "E o que você está aprendendo na escola ultimamente?"

"Ah... uma porção de coisas", respondeu Ruby, evasiva.

Felizmente, o telefone tocou e Sabrina ficou envolvida numa conversa com a sra. Iris Irshman sobre arranjos florais.

"Rápido, Ruby!", cochichou Hitch. "Não temos muito tempo. Preciso levar você até o QG antes que..."

"Ruby, filhinha!", chamou o pai, mas Ruby já estava subindo para o quarto.

"Até mais, papai. Tenho que estudar!"

"Mas, Ruby!", continuou o pai. "Eu e a mamãe gostaríamos muito que você jantasse conosco hoje à noite. Estamos esperando a Margie, o Fred e o filho deles, o Quentin. O jantar será servido às oito. E não se esqueça, querida, ponha uma roupinha bem bonitinha."

"Raios", suspirou Ruby, disfarçadamente.

Além do pesadelo de ter que voltar a tempo para o jantar, aquele Quentin era um chato de galochas.

O senhor e a senhora Redfort não sabem nada sobre a vida do Hitch como ajudante de uma agente secreta. Eles nem imaginam que ser mordomo é apenas um serviço extra para ele.

Chegamos em casa, e Edu tinha feito o jantar para nós.

Até que não está tão ruim. Mas reparei que ele penteou o cabelo com escova. Ora, o Edu nem tem escova de cabelo! Aposto que ele está usando a minha, aquele fuinha.
Fiquei tão ocupada pensando nisso que quase não reparei na carta em cima da mesa, endereçada para mim, com o meu nome.
Abri imediatamente.

Dentro tinha um cartão-postal vindo de Patrícia F. Maplin Stacey, com uma foto dela vestindo um conjunto de calça e blusa. É a mesma foto que sempre vem na quarta capa de todos os livros da Ruby Redfort.

A carta diz:

> Queridas Betty e Clarissa
>
> Obrigada pela sua gentil pergunta.
> Respondendo, o próximo livro da Ruby será publicado neste outono.
> O título ainda será anunciado.
>
> Patrícia F. Maplin Stacey espera que você continue a desfrutar de seus livros e lhe deseja feliz leitura!
>
> Cordialmente,
>
> *Patrícia F. Maplin Stacey*
> criadora da coleção Ruby Redfort
>
> (Detalhes do fã-clube estão no site de Ruby Redfort.)

Puxa, pensei que ia receber uma carta um pouco mais explicativa. Essa carta não é nada como eu esperava, e acho que nem foi a Patrícia F. Maplin Stacey quem escreveu.

Parecia batida a máquina, meu nome estava escrito errado e tenho certeza de que essa Patrícia F. Maplin Stacey sabe escrever direito.

Quando o papai ficou sabendo do terrível dia que a mamãe teve, falou: "Parece que o vovô teve uma sorte do cão".

Mamãe disse: "Neste momento, não acho essa piadinha nem um pouco engraçada".

Tenho o fim de semana inteirinho para me preocupar e pensar no que será que aconteceu com Betty.

E a primeira coisa que eu faço é acordar às sete da manhã no sábado, com a cabeça já pensando no pior. Um pensamento que eu tive é que os pais dela resolveram mandar a Betty para o colégio interno, porque já li alguns livros onde isso acontece quando os pais ficam cheios da pessoa e não aguentam mais. Mas a Cecília e o Marcos nunca se enchem da Betty. Eles levam a Betty para absolutamente todo lugar. Além disso, a Cecília e o Marcos também desapareceram, e ninguém atende o telefone – nem a secretária eletrônica.

Quem sabe a família toda está fugindo da lei. Ou quem sabe a Cecília inventou alguma invenção e algum malvado está tentando roubá-la, e a família resolveu se esconder.

Como no livro CORRA, RUBY!

Ou talvez eles todos foram presos, e se não entregarem a fórmula secreta serão jogados dentro de um vulcão em erupção, que é o que aconteceu com a Ruby Redfort em ONDE ESTÁ VOCÊ, RUBY REDFORT? Nessa história, o melhor amigo de Ruby, Clancy Crew, tem que matar a charada do desaparecimento de Ruby e seguir uma porção de pistas. Esse Clancy Crew sempre precisa fazer isso.

Até neste livro, **RUBY REDFORT É D+!**, já cheguei num pedaço onde parece que a Ruby desapareceu, mas a gente não precisa se preocupar, é tudo parte do trabalho dela como agente secreta.

Clancy Crew procurou se lembrar de tudo que Ruby tinha dito na conversa telefônica há poucos dias. Foi a última vez que Clancy teve notícias de Ruby. Será que ela tentara lhe dizer alguma coisa? Quem sabe ela tinha sido capturada por algum vilão malvado e estava tentando avisar Clancy onde se encontrava, usando um código. Agora que Clancy parou para pensar nisso, de fato parecia estranho que Ruby tivesse mencionado que estava comendo pudim de tapioca na China. Ora, Ruby Redfort detesta pudim de tapioca – quem não sabe disso? E o pior – o que ela estaria fazendo na China???

Na história, Clancy pensa rápido e descobre que "tapioca", em código, significa MÁ NOTÍCIA (porque a tapioca é uma má notícia quando a gente não gosta dela).

"Na" quer dizer apenas "na". E "China" significa Cidade Hoje Imediatamente Necessito Ajuda. Assim, a mensagem é:

    MÁ NOTÍCIA. NA CIDADE. HOJE IMEDIATAMENTE NECESSITO DE AJUDA!

    É tão bem bolado! Como eu gostaria de escrever em código…

Consegui uma pista quando desci para a sala.
Veio na caixa do correio.
É um cartão-postal mostrando um edifício estranho, tipo assim, todo cheio de caracóis, parecendo umas cebolas, ou uns turbantes, e as palavras:

    Gostaria que você estivesse aqui!
O cantinho está rasgado e não dá para ler quem mandou.
Claro que poderia ser da Betty, porque estou vendo um B, e está escrito com a letra da Betty.
Quem sabe ela está tentando me dizer alguma coisa…
    mas o que será?

Corro para mostrar o cartão a mamãe, mas ela está ocupada batendo papo com o Edu.

Para você, isso pode não ter nada de estranho, mas quem conhece o Edu sabe que ele nunca bate papo.

No **domingo**, fui na casa da minha amiga Alexandra. Ela estava comendo pizza e me contou o que aconteceu na escola depois que eu saí por causa daquela emergência.

Ela contou que o Tobias e o Carlinhos disseram à dona Clotilde que o projeto deles era um dicionário. E a dona Clotilde falou: "Mas que excelente ideia!" E o Tobias disse: "Vamos escrever um monte de palavras e imprimir em letras gigantes e colar no corredor".

Daí a dona Clotilde falou: "Bem, é um milagre, Carlos e Tobias, mas desta vez eu aprovo".

Infelizmente, ela mudou de ideia quando viu quais palavras eles tinham escolhido.

Ela falou: "Se vocês dois gostam tanto assim de palavras interessantes, tenho aqui bem o que vocês precisam".

Ela prendeu os dois na sala na hora do recreio e obrigou-os a escrever:

Eu não sou grande nem sou esperto.

Cem vezes a mesma frase!

E ainda disse: "Esses dois não devem andar juntos, já que não conseguem se comportar como crianças maduras. Cada um está sempre incentivando o outro a fazer tolices, e eles desperdiçam valiosas horas de aprendizado".

E falou também: "Se eles não conseguem se comportar como meninos bem-educados, pior para eles – não serão tratados como meninos bem-educados".

E completou: "Não quero saber disso! Estão me ouvindo? Não e não!"

Segunda-feira

Achei isso tudo muito engraçado, mas hoje a dona Clotilde falou: "Já que a Betty resolveu faltar às aulas nos últimos dias, Clarice Bean vai fazer dupla com o Carlos".

Claro que fiquei absolutamente muda.

Para piorar as coisas, quando uma certa pessoa que começa com G, chamada Graça Grapello, descobriu que eu tive permissão para fazer um projeto sobre a Ruby Redfort, ela disse que também quer fazer, e que a ideia foi dela, e eu estou copiando.

E disse que vai fazer um projeto sobre Ruby Redfort também.

A dona Clotilde diz: "De maneira nenhuma, nada disso!"

E falou: "Na verdade, nem sei se vou deixar alguém fazer um projeto baseado num monte de besteiras".

A dona Clotilde começou a ser muito crítica em relação a minha ideia.

Ela falou: "A série Ruby Redfort não é um bom exemplo da literatura dos nossos dias".

Como ela pode dizer isso?????

Falei que uma das minhas ideias é fazer broches, porque a Ruby tem umas frases ótimas que ela sempre fala, e daria para fazer uns broches bem legais. Assim:

Dona Clotilde diz que a Ruby Redfort tem um fraseado muito desagradável e que é um material inadequado para crianças. Disse ainda: "Esses livros incentivam as meninas a saírem por aí feito umas loucas. Prefiro que você escolha um novo projeto...

...que tal balé?"

E ainda falou: "Se você insistir em fazer esse livro da Ruby Redfort, vai ter que falar com o seu Tomás. Quem sabe ele consegue fazer você criar juízo".

Mas o seu Tomás só falou: "Acho que não há nada de mal em fazer um projeto sobre os livros da Ruby, pois gostar de ler é uma coisa importante. Sou totalmente a favor. Entretanto, parte do projeto é escolher um livro que ensine alguma coisa. E você só pode ter chance de ganhar a taça e o prêmio misterioso se conseguir dizer o que foi que você aprendeu com esses livros".

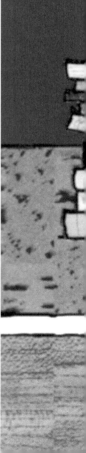

O seu Tomás disse que está ansioso para ver
meu projeto.

Disse que comprou a série Ruby Redfort para sua sobrinha e que só gostaria de ter tempo para ler também, pois os livros parecem muito interessantes.

E aí eu falei:

"São mesmo".

Saí da sala do seu Tomás e lá estava Graça Grapello, com aquela cara de desprezo. Ela falou:

"Sua plagiadora".

E eu falei:

"É você que está me copiando, e você sabe muito bem".

E ela disse, "Sua mentirosa!"

E eu falei: "Sua preguiçosa!"

Graça Grapello é minha arqui-inimiga.

Ela é a pior pessoa que tem na escola, sem contar a dona Clotilde. É metida a sabe-tudo, está sempre me amolando com comentários chatos, é maldosa
e mesquinha.

Uma vez ela convidou a Betty para o aniversário

dela, uma festa de patinação, e não me convidou.
E ela nem é amiga da Betty!
A Betty disse: "Não, obrigada, Graça. Vou tomar chá com a Clarice Bean, que é ab-so-lu-ta-men-te a minha melhor amiga".
E foi só isso, e é por isso que a Betty é ab-so-lu-ta-men-te a minha melhor amiga.
A mamãe diz: "Sinto muito, mas acho que você vai estar sempre dando de cara com meninas como essa Graça Grapello. Lembro que na minha escola havia uma sujeitinha horrorosa chamada Felícia Magalhães. Ela costumava botar chiclete dentro do meu tênis, e dizia para todo mundo que eu tinha pulgas".
Mamãe falou que a única maneira de lidar com meninas como essa tal Felícia é ter pena delas.
Elas devem ser muito infelizes, se o único prazer que elas têm na vida é fazer os outros não gostarem nem um pouquinho delas.
Falei: "Não consigo ter pena da Graça Grapello porque ela é
ab-so-lu-ta-men-te horrível".

Mamãe diz: "Muito bem, então imagine que ela é uma lesma".

Quando eu voltar para a classe, preciso pensar muito bem sobre o meu projeto. Qual será a parte do aprendizado?

Com certeza há muita coisa para se aprender nos livros da Ruby Redfort.

Deve haver, porque eles falam de uma pessoa muito inteligente e são escritos por outra pessoa muito inteligente.

Isso significa que eu devo ter aprendido alguma coisa, mas o quê?

Durante o intervalo, leio um pouco mais da RUBY REDFORT É D+! para ver se aprendo alguma coisa rápido.

Ruby virou no corredor e deu de cara com sua arqui-inimiga, Verônica Begwell, que estava tomando água no bebedouro, conversando com sua amiga Gemma Melamare.

As duas estavam falando sobre as eleições na escola e apostando quem seria eleita Presidente da Classe.

"Contanto que não seja aquela Ruby Redfort, pode ser qualquer um, não ligo a mínima", disse Verônica com desprezo.

"Ah, Verônica, você vai ganhar, com certeza", respondeu Gemma, dando uma palmadinha nas costas da amiga.

"Ei, Gemma, está sentindo um cheiro esquisito?", perguntou Verônica com sua voz grave, fingindo farejar algo estranho no ar. "Oi, Ruby, é você."

"Olá, benzinho", respondeu Ruby. "Você já deu uma boa olhada no espelho hoje? Parece que tem uma coisa esquisita na sua cara – ah, não, engano meu. É o seu nariz que é assim mesmo."

Depois da escola, o Carlinhos veio falar comigo e disse que não quer fazer projeto nenhum sobre um livro **idiota** para meninas sobre uma **menina idiota** e que esse projeto é o **cúmulo da idiotice**.

Falei: "Ah, é mesmo?

Quer dizer que é idiota ser uma agente secreta à paisana e salvar as pessoas usando apenas a inteligência e umas engenhocas de última geração? É mesmo?

E lutar contra os arqui-inimigos maléficos e sair voando num helicóptero roxo também deve ser chato para um cara como você, que vem à escola com uma bicicletinha de criança".

E ainda falei mais: "Pois saiba que a série vai ser transformada num filme de Hollywood".

Vejo que ele ficou impressionado.

E depois que falei sobre o Hogtrotter, um arquivilão dissimulado e traiçoeiro, e contei que o malvado Conde Visconde tentou jogar a Ruby Redfort e o Clancy Crew dentro de um vulcão em erupção, mas o Hitch veio salvá-los no último segundo, e de repente ele ficou muito a fim do projeto.

Disse que não se interessa muito pelo pedaço do salvamento, mas que o resto é bem legal.

Emprestei para ele um livro da Ruby, chamado **Onde Está Você, Ruby Redfort?**

Ele teve que prometer que não ia deixar o cachorro dele morder o livro.

Daí, mostrei a ele o cartão-postal com os edifícios enrolados, que pelo jeito parece que veio da Betty, e ele disse que ela deve ter sido raptada por alienígenas que querem tomar conta do mundo.

É bem o tipo de coisa que eu estava temendo.

Logo que cheguei em casa liguei para a vovó. Ela me pediu para descrever direitinho a foto.

Ficou sem falar nada por uns dois minutos, e veio um barulho estranho, como se ela estivesse sufocando.

Daí ela falou numa voz estranha, como um cochicho: "Desculpe, acabo de engolir uma bala de hortelã. Ligo para você daqui a pouco".

Depois, ela ligou e disse: "Pelo jeito, nossa amiga Betty deve estar na Rússia".

Na terça-feira, Graça Grapello e Cíntia dizem que vão fazer um projeto sobre a história do balé.
Escolheram um livro chamado
A magia da dança.
Dona Clotilde parece tremendamente satisfeita.
É bem o tipo de projeto que ela adora.
Ela diz: "Muito bem, meninas, quero muito ver este projeto, pois o balé é minha paixão".
Graça Grapello olha para mim com um sorriso gosmento, que até me dá um pouco de enjoo.
Dona Clotilde disse pro Tobias que ele tem de entrar no grupo delas. Ele não ficou nada satisfeito.
Mais tarde, quando contei à vovó, ela disse:
"É óbvio que essa Graça Grapello está desesperada, e vai fazer ab-so-lu-ta-men-te qualquer coisa para vencer".
É estranho, mas o Carlinhos tem realmente algumas ideias bem boas.

Ele disse que está trabalhando em casa numa certa coisa misteriosa, e que com ela vamos vencer, com certeza, e ganhar o troféu com os nossos nomes gravados, que todo mundo vai ver, inclusive a Graça Grapello.
O Tobias está fazendo questão de chatear o Carlinhos: "Há há há, seu projeto é sobre um livro de meninas!"
E Carlinhos disse: "E daí? O seu é sobre balé!"
E com isso o Tobias foi se arrastando de volta pro lugar dele.

Convidei o Carlinhos para vir na minha casa depois da escola, mas ele disse que está até a tampa de trabalho, fazendo uma cena de um livro da Ruby Redfort.
Mas vai dar um jeito de vir, quem sabe por uma horinha ou uma hora e quinze.
Ele está tremendamente ocupado.
Está fazendo uma maquete do vulcão onde o Conde Visconde está prestes a acabar com a vida da Ruby Redfort e do Clancy Crew. É o pedaço em que o

Conde Visconde diz: "Adeus, suas crianças metidas!"
E solta aquela gargalhada sinistra, de gelar o sangue.
E o Carlinhos vai gravar uma gargalhada de gelar o sangue e fazer ela tocar sem parar, num gravadorzinho.
Só falta ele encontrar uma gargalhada de gelar o sangue para poder gravar, o que não é tão fácil como você pensa.
Ele disse que a série Ruby Redfort até que não é tão ruim, considerando que são apenas livros para meninas.
Eu falei: "Ruby Redfort não é apenas um livro para meninas. É um livro para qualquer pessoa. Até o seu Tomás disse que vai ler".

Mais tarde, na minha casa, o Carlinhos foi incrivelmente engraçado. Ele consegue ficar vesgo e fazer os olhos virarem um para cada lado.
Disse também que vai ensinar meu irmão, o Miguel, a fazer isso.
O Carlinhos também consegue tomar suco de laranja de canudinho pelo nariz.

Quando falei isso para mamãe, ela disse que é extraordinário, mas não é algo que se faça na mesa de jantar.
Falei: "Mas você devia ver, mamãe, é ab-so-lu-ta-men-te espantoso!"
Mamãe disse que gosta muito das coisas estranhas e maravilhosas deste mundo, mas não sente a menor necessidade de ver o suco de laranja entrando pelo nariz do Carlos.
Carlinhos disse que, quando for mais velho, vai deixar crescer a barba e ter pelo menos seis cachorros.
Depois que ele vai embora, fico pensando como seria ab-so-lu-ta-men-te bárbaro se a Betty voltasse.

Ela iria gostar do Carlinhos.

Tenho certeza.

Eu e a Betty achamos graça nas mesmas coisas.

Se minha mãe e meu pai fossem ricos e tivessem um mordomo capaz de pilotar um helicóptero, eu poderia ir zunindo até a Rússia e trazer a Betty de volta.

O pai da Ruby, sr. Redfort, é rico porque é um empresário multimilionário, e a sra. Redfort é uma dama da sociedade, que vai a almoços e jantares e não faz mais nada além de ir ao cabeleireiro pentear o cabelo com os melhores profissionais do ramo, depois à manicure para pintar as unhas, depois encontrar as amigas para almoçar e dizer coisas assim "Oh, querida, que bom vê-la, você está divina!", e depois ela volta para casa para trocar de roupa, põe um vestido de noite e sai para jantar.

E é só isso que ela faz.

Falei: "Mãe, por que você não põe um vestido de noite para jantar?"

Ela respondeu: "Ora, eu ponho – chama-se camisola. Agora trate de comer seu feijão, sua espertinha!"

Minha vida não se parece nada, nadinha, com a vida de Ruby Redfort.

Na quarta-feira eu e Carlos estamos trabalhando no nosso projeto.
Vai ser ótimo.
Tenho certeza.
O Tobias pediu pra dona Clotilde pra entrar no nosso grupo, e prometeu se comportar de uma maneira ab-so-lu-ta-men-te impecável.
E dona Clotilde disse: "Na-na-ni-na-não! De jeito nenhum, senhor Tobias!" E soltou uma gargalhada.
Não gosto da risada da dona Clotilde — me dá um frio na espinha. O Carlinhos está pensando numa porção de maquinetas e geringonças que podemos fazer, só preciso pegar emprestado o barbeador elétrico do meu pai e a caixa de maquiagem da minha mãe, mais a torradeira e algumas outras coisinhas. Carlinhos diz que consegue transformar tudo isso nos equipamentos especiais da Ruby — zapeadores, *walkie-talkies*, transmissores e um monte de aparelhos bárbaros.

Não sei como é que o Carlinhos sabe de tudo isso, porque eu não sei.

Ele disse que o pai dele sempre o ajudava com as lições, antes de ir embora.

Ele foi pra algum lugar e nunca mais voltou.

Mas, antes disso, os dois faziam juntos uma porção de coisas legais.

Agora o Carlinhos faz tudo sozinho, no galpão do quintal.

É uma sorte que o Carlinhos seja tão esperto, porque a mamãe está muito ocupada lá no centro comunitário e não pode ajudar.

Ela disse que cada um vai ter que fazer o seu próprio lanche e outras coisas, porque ela continua ajudando o tio Humberto a encontrar uma nova casa para morar.

Sei que isso é importante, mas também é importante o meu suéter todo manchado de geleia, precisando de água e sabão.

Mamãe disse: "Peça para o vovô ensinar você a mexer na máquina de lavar".

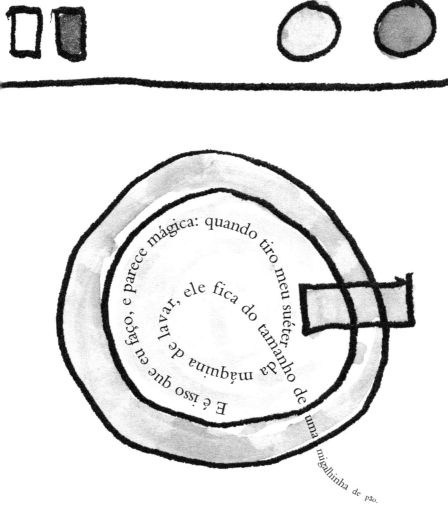

Realmente, as prendas domésticas não são mais o ponto forte do vovô — agora tudo é cheio de tecnologias e coisa e tal.
Antigamente, para lavar roupa a gente precisava apenas de duas mãos, um pedaço de sabão e o tanque para esfregar.
Tenho que lavar a pia,
é uma das minhas tarefas.
Dá para imaginar a Ruby Redfort limpando a pia?
A resposta é NÃO, porque ela tem a dona Edith, que cuida de todas as suas menores necessidades.
Ruby Redfort está muito ocupada solucionando crimes e não tem tempo de limpar a pia.
A mamãe já disse que, se eu reclamar de novo, ela vai me mandar limpar a privada.
Acho que vou telefonar para o serviço de proteção às crianças.

A diferença entre os meus pais e os pais da Ruby é que o pai e a mãe de Ruby dão a ela tudo que ela precisa, ou seja,
      quase tudo.

E
meus pais
não dão.

Depois de lavar o suéter, vou para o meu quarto. Estou tentando ficar sozinha para poder pensar um pouco e bolar as respostas para algumas grandes perguntas.

Mas aquele chatinho do Grilo Falante já vem entrando, e como de costume tagarelando umas bobagens sem sentido.

A vantagem de ser filho único é que a gente tem seu próprio quarto e nunca é incomodado por esses bestinhas.

Eu também gostaria de poder ganhar uma mesada maior para comprar o novo relógio-detector de mentiras submarino da Ruby Redfort, que custa 74,99! A gente faz a pessoa usar esse aparelho e o relógio diz se a pessoa está mentindo, porque quando a gente fala mentiras o pulso começa a bater mais depressa, e o relógio dá um bip de alerta!

A Betty disse que não funciona se a pessoa estava correndo antes do "teste", porque nesse caso o pulso bate depressa de qualquer maneira.

Então, a gente tem que se perguntar: "Será que essa pessoa estava correndo, está mentindo ou talvez esteja mentindo sobre o fato de que estava correndo?"

Mas como saber?

A Betty também falou que esse relógio vaza debaixo d'água.

Seja como for, é bárbaro, porque tem um desenho da Ruby Redfort bem no meio e os ponteiros do relógio saem do nariz dela, e o ponteiro dos segundos é uma mosca.

Outra coisa que eu venho pensando é na Betty, e que talvez ela esteja na Rússia só a passeio, e não sequestrada por alienígenas. Mas, se ela está passeando, por que ela nem me disse que estava indo?

Ruby Redfort estava no teto, sentada na sua cadeira especial, a cadeira de pensar.

Dona Edith tinha feito uma supervitamina para ela beber e ajudar seu cérebro a pensar mais rápido.

Enquanto tomava a vitamina em pequenos goles, Ruby inspecionou seu mais recente superaparelho, que o pessoal do Controle Central havia lhe dado quando ela foi chamada ao Quartel-General.

A engenhoca até que era bem interessante. Era uma minúscula mochila que se desdobrava formando um par de asas, de tamanho suficiente para uma menina de onze anos. As asas tinham um formato novo, e vieram direto do laboratório das invenções. Se Ruby ficasse em dificuldades – digamos, presa no alto de um edifício –, poderia simplesmente pular e cair suavemente, até pousar em segurança. Quem sabe ela ainda iria precisar disso?

Na escola, na
quinta-feira,
mal posso acreditar –
adivinhe quem
aparaceu de repente?
Betty em pessoa,
usando um chapéu
engraçado, tipo
assim, um gorro com
duas abas nas orelhas.
Ela disse que viajou para a
Rússia porque a mãe dela,
a Pode-Me-Chamar-de-
-Cecília, foi lançar um
novo livro, e no
último minuto,
ab-so-lu-ta-men-te último
segundo, os pais dela
pensaram: "Ora, por
que não levar também
a Betty?"

Betty disse que quase ninguém consegue ir para a
Rússia, e é por isso que, se alguém perguntar
se você quer ir,
    você tem que dizer
        ab-so-lu-ta-men-te
      sim.
Mal posso esperar para contar à Betty sobre o projeto
do livro.
Falei: "Adivinha sobre o que vai ser o nosso
projeto literário?"
E não espero que ela adivinhe,
vou logo dizendo: "Ruby Redfort, arquidetetive!"
Betty diz que é uma ideia brilhante.
E tem razão.
Betty disse que na Rússia todo mundo também está
lendo Ruby Redfort, e que em russo o nome dela é
algo tipo assim… mais russo.
Daí ela diz: "Você não vai acreditar, mas adivinha
quem eu encontrei na Rússia?
Patrícia F. Maplin Stacey!"
E ela tem razão – não acredito mesmo.

Daí a Betty me mostra uma foto dela bem ao lado da Patrícia F. Maplin Stacey.

Prova de que era verdade.

Patrícia F. Maplin Stacey não parece nem um pouco com a foto dela na quarta capa dos livros.

É muito mais velha e não está usando um conjunto de calça comprida.

Ela é bem mais baixinha do que a gente imagina.

E a Betty disse: "Pois é, isso é o mais estranho".

Betty me convidou para tomar lanche na casa dela. Parece que ela me trouxe um presente da Rússia.

Eu mal posso esperar, mas daí me lembro que tenho de encontrar o Carlinhos para trabalhar no nosso projeto.

Quando digo isso a Betty, ela pergunta: "Mas por que você fez dupla com o Carlinhos? Você tem que fazer dupla comigo!"

Daí digo a ela que foi a dona Clotilde, e não eu, quem veio com essa ideia, e que nem quero fazer projeto nenhum com o Carlinhos, mas acontece que ele até que tem boas ideias, e até que é um garoto bem legal, mais do que a gente imagina.

E é mesmo.

Betty diz: "Mas o Carlinhos é um bestão, e vai estragar tudo".

Eu digo: "Mas ele está inventando umas engenhocas incríveis.

    Está mesmo!

E eu acho que você ia
    gostar muito dele.

Ele é muito engraçado
e consegue tomar suco de laranja pelo nariz!"
    Betty diz:
        "Pois bem,
já que você gosta tanto do Carlinhos,
    então faça esse projeto idiota da Ruby
junto com ele".
    Mal posso acreditar. A Betty jamais chamaria a Ruby Redfort de idiota.
    Daí eu digo,
"Pois não foi você que
      foi embora
  e nem me avisou?"
    E ela diz:
"Mas eu avisei!
      Eu deixei dois recados!
E um deles
    foi de um telefone
lá da Rússia,
    verdade!"

Daí eu grito:
"Ah, é?
E como se explica que eu
 não recebi nenhum dos dois?"
 E ela grita:
"Pois vá perguntar ao seu irmão Edu
 e ao seu avô, porque
eu deixei dois recados, com certeza,
 e eles podem lhe dizer
que é verdade.
 E eu também te mandei um
 cartão-postal da Rússia!
Quer saber, eu nem devia ter
 me incomodado!"
 E daí a dona Clotilde grita:
"Vocês duas, querem falar baixo!
 Aqui nesta escola
 nós não toleramos
 gritos".
Tenho vontade de dizer a ela que ela mesma está gritando, mas acho melhor não falar nada.

Betty fica sem falar comigo pelo resto do dia.
É a primeira vez — nunca tivemos nem a mais mínima das brigas antes disso.
Exceto uma vez, quando comi a rosquinha do lanche dela sem querer.
Não posso acreditar.
É a coisa mais horrorosa que já me aconteceu em toda a minha vida.
Agora estou voltando para casa andando sozinha, cheia de tristeza.
E estou pensando no cartão-postal, que era mesmo — como eu pensei — da Betty, e no recado que o nosso cachorro Cimento comeu, que devia ser da Betty.
E também no recado que meu avô não conseguia lembrar direito, e que era da Betty, claro, quando ela estava na Rússia.
Ela tem razão —
    ela realmente tentou me contar.

Tento ler **Ruby Redfort é D+!** só para me alegrar um pouco, mas estou transbordando de tristeza.

"Puxa vida, Ruby! O que você imagina que aconteceu aqui?"

Ruby Redfort e Clancy Crew estavam olhando para as ruínas do estúdio de Crew.

Seu cofre tinha sido arrombado e todos seus documentos mais importantes e secretos tinham desaparecido.

"Pelo jeito, você foi roubado", suspirou Ruby. "Acha que eles encontraram o que estavam procurando?"

"O que eles levaram não importa. Mas como se explica ISTO?"

Clancy Crew não parava de olhar. Não sabia o que pensar.

Estava segurando uma jaqueta nas mãos. Não uma jaqueta velha qualquer, mas sim a que Dirk Draylon sempre usava em "Tiras Malucos".

"Dirk Draylon não teria feito isso, não é verdade, Ruby? Ele não faria uma coisa dessas."
"Não, Clancy, creio que não. Tem alguma coisa errada nisso tudo, sabe como é? Aqui tem alguma coisa muito feia. Aposto um milhão de sorvetes que isso é uma armação. Alguém quer que a gente pense que Dirk Draylon está envolvido nesse roubo. Rapaz, a coisa está cheirando mal!"

Na sexta-feira, dona Clotilde está com uma aparência extremamente pálida e disse que está "por aqui".
Disse que dessa vez está falando sério.
Fico pensando o que será que ela está aprontando, e como ela consegue arregalar os olhos daquele jeito, parecendo duas bolas de gude.
Estou pensando também que ela até parece o malvado Conde Visconde, disfarçado de mulher.

Ela tem as sobrancelhas iguais às dele, tenho certeza...
Estou pensando naquele trecho de SOCORRO, RUBY
REDFORT!, quando Ruby está numa festa muito
importante na casa do embaixador e tem uma
velhinha que parece totalmente inocente.
Mas daí a Ruby tem uma daquelas suas desconfianças
de costume e arranca o rosto da velhinha, que na
verdade é uma máscara, e descobre que ela é
ninguém menos que o Conde Visconde, que
naturalmente fica pálido de susto ao ser descoberto, e
talvez o mesmo aconteça com a dona Clotilde.
Quem sabe se eu...
"Clarice Bean,
você parece muito agitada. Quer nos
contar o que se passa na sua cabeça?"
É claro que não seria uma boa ideia
dizer para a dona Clotilde que as
sobrancelhas dela são parecidas com as
de um conde malvado.
Só faço aquela cara de carneirinho
idiota...

Dona Clotilde diz: "Clarice Bean, não vou falar mais nem uma vez. Se você não quer prestar atenção em mim, então vai prestar atenção no seu Tomás!"

Fico esperando na porta da sala do seu Tomás por uns bons 23 minutos.

Começo a perceber qual é a sensação de ser o Carlinhos.

Estou olhando para um cartaz que diz:

PERIGOS DOMÉSTICOS

e tem uma foto de uma mulher trocando uma lâmpada, em pé num banquinho todo desconjuntado, e distraída, prestando atenção num bebezinho que está no chão, brincando com uma tesoura.

O Carlinhos já deve ter olhado muito para esse cartaz.

Por fim, dona Marta diz: "Seu Tomás está ocupado com assuntos muito importantes. Ele não tem tempo para lhe passar um sermão".

Assim, volto para minha sala.

O que está deixando a dona Clotilde toda alarmada é o seguinte: "Alguém, e aliás tenho uma boa ideia de quem pode ser, roubou a taça da vitória de nosso projeto literário".

Carlinhos foi imediatamente mandado embora para casa!

Dona Clotilde disse que só pode ser ele, porque, francamente, é sempre ele.

Além disso, ele foi visto em atitude suspeita, andando em volta do armário de vidro onde a taça estava guardada. E agora a taça sumiu, e ninguém precisa ser gênio para adivinhar o que aconteceu.

Dona Clotilde disse que não vai deixar o Carlinhos participar da competição, porque o mau comportamento dele atingiu um nível que não será tolerado.

Estou ab-so-lu-ta-men-te furiosa, fora de mim, porque agora eu também posso ser desqualificada do concurso.

Já perdi dois parceiros de dupla, um depois do outro. E, se não tomar cuidado, vou acabar formando dupla com o Tobias.

Passei um fim de semana absolutamente horrível e miserável porque minha melhor amiga, a Betty, não é mais minha melhor amiga.

Fui até a casa do Carlinhos, e ele disse que não vai nem terminar a maquete do vulcão do livro da Ruby, já que foi eliminado do concurso.

E disse também: "Não é justo! Não fui eu que fiz isso".

Perguntei: "Não mesmo?"

Ele falou: "Pra que roubar a taça, se nós vamos ganhá-la de qualquer jeito?"

Até que é um bom argumento.

Outra coisa: o Carlinhos nunca nega que aprontou alguma coisa, porque tem um tremendo orgulho das suas molecagens.

Então, claro que o culpado não é ele.

Só sei que agora eu não vou ganhar o concurso, de jeito nenhum.

Não tenho nenhuma engenhoca da Ruby para mostrar — só metade de uma maquete inacabada. E o pior é que não consigo pensar em nenhuma lição que aprendi nos livros dela.

Ainda nem fiz os meus broches, e olha que eles iam ser o maior sucesso.

Estou pensando em desistir.

Quando volto para casa, telefono para a minha avó e conto tudo sobre o sumiço da taça. Digo a ela que o Carlinhos não deve ser o culpado, mas está num aperto por causa de um crime que não cometeu.

Tudo isso é
terrivelmente suspeito
e
ab-so-lu-ta-men-te errado.

Falo pra vovó: "Isso não tem pé nem cabeça". É exatamente o que a Ruby Redfort diria, se fosse solucionar esse crime.

Vovó diz: "Se não foi o Carlinhos, então deve ter sido outra pessoa. A grande pergunta é: quem foi?"

E eu repito: "Sim, quem foi?"

E a vovó: "A dona Pérola!!!"

E eu: "Que dona Pérola? Não tem nenhuma dona Pérola na minha escola!"

E a vovó: "Não, não, é que eu já devia estar na casa da dona Pérola para jogar cartas — estou atrasada!"
E termina: "Tenho que sair já. Mas, Clarice, talvez você consiga solucionar o mistério".
E eu:
"Mas como? **Não sou craque em resolver mistérios**".
A vovó diz: "Mas você tem que ter aprendido como resolver mistérios, depois de ler tantos livros de suspense dessa Ruby Redfort.
Me conte depois como vão as coisas".

Fico sentada um tempão pensando no que a vovó falou, e quanto mais penso, mais acho que ela tem razão.
Tenho que ter aprendido muita coisa sobre como solucionar mistérios, de tanto ler a Ruby Redfort.
E, se eu conseguir resolver esse mistério, posso provar que Carlos não é o **ladrão da taça**.

E se eu conseguir provar que ele não é o ladrão da taça, então posso provar que aprendi alguma coisa lendo a Ruby Redfort, e que esses livros que a dona Clotilde chamou de bobagens na verdade estão cheios de bons conselhos e informações espertas e úteis.

Subo direto para o meu quarto.
A primeira coisa é fazer uma lista.
É isso que a Ruby sempre faz.
Ela tem um computadorzinho minúsculo para escrever.
Mas não é indispensável ter um assim — que, aliás, eu não tenho.
Também não é necessário ter uma lente de aumento, aliás uma coisa tão fora de moda.
Basta a inteligência da gente, uma escrivaninha e uma folha de papel.
Daí a gente escreve todas as pistas. As mais importantes são as pessoas de quem a gente desconfia.

São os chamados "suspeitos".
Meus principais suspeitos seriam a
dona Clotilde e a Graça Grapello.
Dona Clotilde provavelmente não foi,
apesar de que bem que eu gostaria que fosse ela.
Todos os indícios apontam para a Graça
Grapello. Ela deve estar morrendo de inveja
da nossa ideia e desesperada para ter uma

boa ideia também, mas da cabeça dela não
sai nada.
Tobias é o meu terceiro suspeito, pois sempre
é bom ter três pessoas na listinha.
Três é um número normal de suspeitos.
Roberto Sem Alça não é suspeito, porque
ele nunca teria essa ideia.
Ele nunca pensa em nada sozinho,
só copia o que os outros fazem.
Além disso, ele é daquele tipo
"bonzinho".

A outra coisa que preciso anotar no papel é o seguinte: quando, exatamente, descobriram que a taça tinha desaparecido????

Ninguém viu a taça no armário dos troféus desde que o seu Etelvino fez a faxina geral, antes das férias. Portanto, pode ser que ela tenha sido roubada antes, quando o banheiro dos meninos ficou inundado, há mais de duas semanas.

Isso dá o que pensar, mas eu fico entalada nesse ponto e não sei mais como prosseguir. Então, leio mais um pouquinho.

> Ruby Redfort estava pensando intensamente.
> O que significava tudo aquilo? Achou que era hora de ter uma boa conversa com seu amigo Clancy Crew, que tinha muito talento para descobrir as coisas.
> Era um sujeito brilhante.
> Ruby discou.
> "Ei, Clancy, como vai?"
> "É você, Ruby? Eu estava torcendo para você

ligar. Estou preso aqui em casa, num jantar chatíssimo. Meu pai está recebendo um monte de celebridades, gente do governo. Caramba, que chateação!"

O pai de Clancy era embaixador, e estava sempre convidando pessoas muito importantes, da alta sociedade, para o jantar. Gostava de passar a imagem de um bom pai de família, e fazia questão de que seus cinco filhos estivessem presentes nesses acontecimentos sociais.

"Será que você consegue dar uma escapada?", perguntou Ruby.

"Sem chance. E você, consegue vir até aqui?"

Era a noite de folga do mordomo Hitch, e não havia ninguém para levá-la de carro até a casa de Clancy. Mas tudo bem, ela podia ir de bicicleta.

É claro que a bicicleta de Ruby Redfort não era uma bicicleta comum. Tinha telefone, lançador de foguetes e repelente antiataques.

"Chego em cinco minutos", disse Ruby, e pulou a janela do quarto.

Sabe com quem eu queria mesmo falar?
Com a Betty, mas ela continua sem falar comigo.
Contei à mamãe que
    tudo está perdido,
e que a Betty
    não é mais
    minha melhor amiga.
E falei que as coisas nunca mais vão ser como antes.
    Nunca, **nunca mais.**
Mamãe diz: "Acho que você está sendo um pouquinho dramática.
Se a Betty não quer falar com você, então quem sabe você deveria ir até lá falar com ela.
Quando duas pessoas são amigas de verdade, elas não deixam uma pequenina discussão sem importância atrapalhar a amizade.
Se fosse assim, ninguém falaria com ninguém".
E continua: "Por que você não convida a Betty para jantar conosco? Vamos fazer cachorro-quente".

Vou andando bem devagar, sentindo até um pouco
de náusea – estou na maior ansiedade, com medo
que a Betty bata a porta na minha cara.
Toco a campainha. Não é uma campainha
normal, claro. A família dela trouxe lá do Oriente.
É feita de tubos de madeira e faz um som
todo especial.
A campainha da minha casa só funciona de vez em
quando – a gente nunca sabe quando.

A Betty em pessoa vem atender a porta.
Está usando umas botas forradas de pelo.
Imagino que sejam da Rússia.
Ela diz: "Oi, Clarice!",
como se não houvesse nada de errado, apesar
de que ela está torcendo as mãos e se
mexendo toda.
Falo: "Oi, Betty, você gostaria de vir jantar lá
em casa?
Acho que vai ter cachorro-quente".
Betty pergunta: "O Carlinhos vai estar lá?"

"Ab-so-lu-ta-men-te não", falei.

E a Betty: "Tudo bem, chego às seis".

Volto para casa me sentindo um pouquinho melhor. Apesar de ela não ter me dado nenhum presente da Rússia.

Quando chego em casa, quase sou derrubada no chão, no meio do corredor, pelos vários cachorros que temos agora.

Estão latindo feitos uns loucos, e a mamãe diz que está no limite e não aguenta mais.

Papai diz que nunca na vida sentiu tanta vontade de voltar para o trabalho.

Mamãe fala que é melhor o vovô arranjar algum outro lugar para botar esses cachorros, não na nossa casa.

Vou até a cozinha e lá está a Cláudia.

É uma amiga da Márcia — muito estranho, pois a Márcia nem está em casa. Na cozinha estão apenas o Edu e a Cláudia sozinhos.

Sentados absurdamente perto um do outro.

E o Edu fez um chá de ervas e está pondo na xícara dela.

Está falando com ela, e dizendo coisas assim:
"Quer um pãozinho com manteiga?" e
"Gosto do seu cabelo desse jeito,
fica muito bem para você".
É claro que eu fico de boca aberta de espanto.
Quando conto à mamãe, ela diz: "Então, a Cláudia é a nova namorada do Edu.
Acho que ele está gostando muito dela".
E continua: "O Edu está muito melhor agora que tem um motivo para tomar banho, mas a Márcia está pior do que nunca. Ela não fala mais com o Edu, porque acha que ele roubou a amiga dela.
E o Edu não está falando com Márcia, porque ela disse para a Cláudia que o quarto dele tem cheiro de queijo".
O que, aliás, é verdade.
Mamãe completa: "Ora, pelo amor de Deus! Será que ninguém consegue se dar bem?"

Quando Cláudia vê a Flossie, a pastora alemã, começa a gritar como uma doida, o que só faz piorar as coisas.

Todos os cachorros começam a latir bem alto.
Cláudia diz que não pode vir mais a nossa casa porque tem pavor desses cachorrões enormes.
E, além disso, ela não é do tipo que gosta de cachorro, e ponto final. Edu entrou em crise.
Ouvi ele dizer: "Às vezes eu odeio morar nessa casa".
Papai diz: "Sei como você se sente. Pior que um cachorro!".
Mamãe lhe dá um olhar daqueles.
Daí chega a dona Célia. Está cheia de rolinhos no cabelo e ab-so-lu-ta-men-te irritada.
Diz que está tentando tomar um banho relaxante, mas é difícil relaxar com três cachorros uivando na casa do vizinho.
Fala que isso é perturbar a paz pública e que está com os nervos à flor da pele.
E mais: vai fazer uma queixa sobre nós na delegacia.
Mamãe diz que teria o máximo prazer em levá-la de carro até lá.
Daí a campainha toca – é o Carlinhos.

Ele diz: "Senta!" e todos os cachorros se sentam.
Ele diz: "Quieto!" e todos os cachorros ficam quietos.
Carlinhos contou que tem vários cachorros em casa, e passa o dia treinando todos eles.
A mãe dele tem uma profissão engraçada: ela leva os cachorros dos outros para passear. Tipo assim, uma babá de cachorro. Carlinhos diz que já aprendeu muito com ela sobre obediência canina.
Mamãe agradece e o convida para jantar: "Vamos ter cachorro-quente".
E Carlinhos aceita.
Mas é claro que tudo acaba num tremendo desastre quando me lembro que a Betty também vem jantar.
O que ela vai dizer quando vir o Carlinhos aqui em casa? Talvez ela nunca me perdoe.

Nesse momento, alguém toca a campainha.
Ela só faz um leve BLIM, porque já perdeu o pedaço do BLOM – o que, aliás, é uma pena.
A Ruby Redfort tem uma campainha que toca música.
Abro a porta e vejo a Betty.
Ela vê os três cachorros e fica totalmente fascinada.
Betty adora cachorros, mas a família dela não pode ter animais porque está sempre viajando para fora do país sem nem avisar.
E não se pode levar um cachorro com a gente nas viagens.
Aliás, deve ser por isso que nós nunca vamos a lugar nenhum.

Carlinhos mostra para Betty como mandar um cachorro sentar e pedir alguma coisa educadamente.

Ele diz ainda que, se ela quiser, pode ir à casa dele depois da escola passear com os cachorros.

Mamãe diz: "Se você quiser, Betty, pode pegar emprestado esses dois e ver qual a sensação de ter cachorros".

Ela fala brincando, mas a Betty leva a sério. Ela telefona para os pais e pergunta se pode tomar conta da Flossie e do Ralf, só por uma semana, ou talvez duas, até o tio Humberto arranjar um novo Lar dos Velhos que aceite cachorros.

E a Cecília diz que poderia ser muito bom para a Betty ter a responsabilidade de tomar conta de um animal.

E, assim, a resposta é "talvez sim".

Mamãe diz: "Ainda bem!"

Edu vai telefonar para Cláudia e dar a notícia, e Betty chega à conclusão de que o Carlinhos não é tão ruim assim, afinal.

Na segunda-feira, de volta na escola, Carlinhos e Betty não param de falar e tagarelar sobre cachorros.

Parece que a Betty esqueceu completamente que não gostava do Carlinhos e que costumava chamá-lo de "bestão".

Pergunto a ela sobre isso, e ela explica: não é que não gostava dele, só não queria que ele viesse atrapalhar a gente e o nosso projeto.

Ela diz: "Se ele puder ajudar, então pode entrar na nossa equipe, com certeza".

O problema é que o Carlinhos não tem permissão para fazer o projeto porque ainda está

numa fria

pelo roubo da taça.

E, apesar de eu mesma estar trabalhando numa engenhoca de minha autoria, o Carlinhos é que estava fazendo a melhor parte. Acho que sem ele nosso projeto vai ser uma droga.

Betty diz: "De qualquer jeito, como vamos ganhar o concurso se a gente não consegue pensar em nada que aprendemos com a Ruby Redfort?

Esse é o problema".

Falei: "Mas é isso que eu estou querendo dizer a você faz tempo!

Acho que nós podemos resolver o crime e ganhar a taça, porque, pensando bem, já aprendemos muita coisa com a Ruby Redfort".

Conto meu plano a Betty e ela diz que, com certeza, vai ajudar.

E diz também: "Uau, que bárbaro!"

Estamos entrevistando todo mundo e perguntando

o que eles sabem

e o que eles não sabem,

e também o que eles não sabem que não sabem.

É uma coisa que o Clancy Crew sempre diz: "Às vezes, as pessoas nem sabem que sabem, porque ainda não pensaram bem a respeito. Se pensassem, perceberiam que sabem mais do que achavam que sabiam".

Acho que eu sei o que ele quer dizer.

Perguntamos à Alexandra.

Digo que estamos investigando o caso da taça desaparecida e queremos saber quando foi exatamente que ela sumiu.

Isto é, quem sabe foi roubada logo depois da inundação no banheiro dos meninos.

E a Alexandra diz: "Sabe de uma coisa, Clarice, acho que a coisa está ficando quente!"

Muito estranho – é justamente o que Clancy diria.

Pergunto o que ela acha da minha suspeita de que a culpa seja da Graça Grapello.

E ela diz: "Bom, a Graça estava com gripe e não veio à escola no dia em que taça desapareceu".

Ela tem razão, claro.

Aí eu pergunto: "E o Tobias? Você acha que foi ele?"

Alexandra responde: "Não, não deve ter sido – o Tobias nunca faz nada a não ser que o Carlinhos mande".

E, de novo, ela tem razão.

Daí eu digo, "E que tal a dona Clotilde – e se foi ela quem roubou a taça?"

E ela diz: "Não".

"Por quê?"

"Porque ela é professora".

A Alexandra seria uma ótima detive. Tem uma ótima memória para os detalhes, e isso é essencial para quem quer ser detive.

Bem, se não foi a dona Clotilde, nem Graça Grapello nem Tobias, então quem foi?

Não conseguimos pensar em ninguém. Juntando todas as nossas pistas, o total é zero – um grande, enorme zero, como diz a Ruby para o seu mordomo, o Hitch.

E o que o Hitch sempre responde é: "Às vezes, precisamos olhar para as coisas de lado e aí se consegue uma imagem mais clara".

Não sei o que isso quer dizer, mas quando voltamos para a casa da Betty perguntamos à Cecília, e ela diz: "Acho que o Hitch quer dizer que, se você pensar em alguma coisa de uma maneira diferente, é mais fácil encontrar a resposta". E diz ainda, "O que vocês precisam pensar, em primeiro lugar, é o seguinte: por que alguém haveria de roubar a taça? Não adianta nada ficar com a taça da vitória se ela não tiver seu nome gravado,
    dizendo *'Vencedor'*.
Também não adianta nada ter a taça se não se pode mostrar para todo mundo em plena luz do dia".
Ela dá uma ideia: "Quem sabe se vocês considerarem que a taça foi perdida, e não roubada, talvez consigam encontrá-la".
A Cecília é muito esperta para essas coisas – não admira, ela é escritora de livros policiais.
A vida dela se resume em resolver quebra-cabeças desse tipo.

Na terça-feira,
eu e a Betty ficamos
ocupadíssimas procurando a taça.
Olhamos em todo lugar, até lá fora,
naquelas latas de lixo gigantes,
com rodinhas.
Mas desistimos depois que a Betty quase
caiu dentro de um latão desses.
Precisamos pedir para o seu Etelvino
salvar os óculos da Betty, que
escorregaram do nariz dela e caíram
dentro do lixo.
Seu Etelvino ficou muito zangado e disse
que tinha mais o que fazer do que ficar
entrando e saindo das latas de lixo.
Falou ainda que, se isso acontecesse outra
vez, ele ia confiscar os óculos da Betty e
guardá-los no armário da limpeza.
Mas ele não faria nada disso, porque não é tão
durão como gostaria que os outros achassem.
Mas isso me dá uma boa ideia.

Veja só: um dos lugares onde ainda não procuramos é no armário de seu Etelvino, onde ele guarda o material de limpeza. Quem sabe a taça foi parar lá por acaso, quando seu Etelvino fez a faxina geral antes das férias?

Betty disse: "É uma ideia meio maluca, mas sempre vale a pena tentar".

São exatamente as palavras que Clancy sempre diz em todas as histórias.

Mas infelizmente, muito infelizmente mesmo, eu e Betty fomos pegas em flagrante mexendo no armário de seu Etelvino e fazendo barulho.

Ele ficou extremamente bravo.

Falou: "O armário do zelador é ab-so-lu-ta-men-te proibido e to-tal-men-te proibido para alunos. E ponto final".

E, mais infelizmente ainda, dona Clotilde passou por ali quando seu Etelvino nos deu essa bronca, e agora estamos numa **tremenda encrenca**.

Dona Clotilde disse: "Bem, Clarice Bean, devo dizer que não fiquei surpresa com essa mostra absolutamente lamentável de falta de educação". Sei lá o que ela quis dizer com isso.

"Quanto a você, Betty Morais, lamento, mas eu pensava que você tinha mais juízo".

E disse ainda: "Já que vocês duas gostam tanto de armários, podem ficar na sala durante o recreio e **arrumar todos** os livros no **MEU** armário".

Que chateação! Logo agora que estamos tentando resolver um mistério.

Temos coisas mais importantes a fazer do que arrumar as coisas de uma certa pessoa cujo nome começa com C, que tem preguiça de arrumar seu próprio armário.

A arrumação demora horas, porque estamos revezando – enquanto uma arruma, a outra lê alto um trecho do **Ruby Redfort é D+!**

Depois de encontrar o caminho passando por incontáveis corredores sinuosos e subindo incontáveis escadas de pedra, Ruby Redfort chegou a uma porta de aço. Teve certeza de que atrás dessa porta estava preso o infeliz ator.

Ruby arrombou a fechadura sem muita dificuldade – e lá estava, parecendo só um pouquinho confuso, o célebre Dirk Draylon.

"Garota, como estou contente de ver você!", disse Dirk com um suspiro. "Achei que nunca mais ia sair daqui."

"Não se preocupe, Dirk, vou tirar você daí", cochichou Ruby, começando a desamarrar o cansado galã da TV.

"Pegue minhas asas de planador. Foram feitas para aguentar o peso de uma menina de onze anos, mas pelo jeito você perdeu muito peso aqui no cativeiro. E, afinal, Dirk, nós não temos escolha."

"Mas e você?"

"Não se preocupe, eu me arranjo. Vai dar tudo certo."

"Devo um favorzão a você, garota", disse ele, e pulou da janelinha, flutuando uns duzentos metros até o chão lá embaixo.

Foi nesse momento que Ruby ouviu uma voz de gelar o sangue, bem atrás dela.

"Quer dizer que nos encontramos de novo, Ruby Redfort — sua pirralha arqui-intrometida e arqui-importuna. Você acha mesmo que consegue ser mais esperta do que o Conde Visconde, o Gênio do Mal?"

"Bem, achei que podia tentar", brincou Ruby, tentando parecer calma e relaxada, embora seu coração estivesse tão disparado que ela mal conseguia respirar.

"Bem, já que você veio até aqui, vou lhe contar minha ideiazinha. É uma ideia incrivelmente astuciosa."

Betty continua lendo e eu derrubo alguma coisa, sem querer, da prateleira que estou arrumando. O negócio cai bem na cabeça dela, e você jamais,

ab-so-lu-ta-men-te jamais, vai acreditar:
é a tacinha!
Mas o que ela está fazendo no armário da dona Clotilde? É isso que eu quero saber.
Nesse momento, dona Clotilde chama: "Clarice Bean, Betty Morais, façam o favor de sair desse armário e venham sentar".
E eu digo: "Dona Clotilde, eu não sabia que havia duas taças de prêmio para o projeto".
E ela diz: "Ora, e não há mesmo!"
"Mas, dona Clotilde, tem uma tacinha no seu armário, e parece exatamente a taça para o vencedor do projeto.
Sabe, aquela que o Carlinhos roubou."
Quando a dona Clotilde viu a taça, ficou vermelha como uma beterraba e saiu toda apressada feito um besourinho para a sala do seu Tomás.
E ficou por lá uma enormidade de tempo.

Acontece que a dona Clotilde pediu para o seu Etelvino polir a taça e deixá-la bem brilhante para o

Dia da Visita dos Pais. Na verdade, ela mandou guardar a taça no armário, mas houve uma confusão – seu Etelvino achou que fosse o armário dela, dentro da sala da nossa classe, já que ela iria precisar da taça na quarta-feira, mas dona Clotilde estava pensando no armário de vidro dos troféus.

Na saída da escola, ouvi dona Marta dizer: "Seu Tomás ficou absolutamente pálido e disse para a dona Clotilde que não se pode sair por aí botando a culpa nos outros, assim sem mais nem menos, por coisas que as pessoas não fizeram".
Daí seu Etelvino respondeu: "Concordo plenamente".

Betty vem jantar na nossa casa.

Quando entramos, mamãe está de bom humor porque encontrou um lar para idosos que aceita animais grandes, e não só passarinhos e peixinhos. Mas eles só aceitam UM cachorro,
isto é, ou a Flossie ou o Ralf.

Esse é o problema.

O tio Humberto diz que não pode ficar sem a Flossie, porque os dois já são companheiros há mais de onze anos – e, para um cachorro, isso significa setenta e sete.

A mesma idade do tio Humberto.

Ele disse: "Nós dois somos aposentados".

O Ralf é muito mais jovem. Pensando em anos de cachorro, ele tem a idade do meu pai.

Se o Ralf fosse gente, podia ter sido colega de classe do meu pai na escola. Os dois poderiam até ser amigos.

Antes do jantar, eu, Betty, mamãe, vovô e tio Humberto fomos visitar o novo lar para idosos.

Temos que nos espremer dentro do carro.

Chama-se Lar do Sol Poente, o que eu e a Betty achamos ab-so-lu-ta-men-te romântico.

A casa é toda pintada de cores muito alegres e tem uma grande placa no saguão de entrada, que diz: "Para trabalhar aqui, não precisa ser louco – mas ajuda!"

A mamãe diz que o Lar do Sol Poente é legal porque eles têm senso de humor.
É uma empresa familiar, quer dizer, os donos são todos da mesma família.
E todos usam óculos.
Você consegue imaginar minha família como proprietária de um lar para idosos, todos trabalhando juntos?
Eu não consigo.
Pamela, a diretora, explicou que o Lar do Sol Poente compreende que é importante as pessoas terem consigo seus bichinhos de estimação. Ela gostaria de poder aceitar mais bichos, mas, se eles autorizassem cada pessoa a trazer todos os seus animais de estimação, a casa ficaria parecendo uma fazenda, e não um lar para idosos.
Tio Humberto ficou muito entusiasmado com o lugar, principalmente quando viu que o cardápio tinha pudim de pão.
O que, para mim, é ab-so-lu-ta-men-te o pior pudim que existe.

Se alguém quisesse me convencer a comer esse troço teria que me dar uma bela quantia em dinheiro.
Tipo umas 27 pratas.
Tio Humberto disse que só está ansioso com uma coisa: o que vai ser de Ralf, o pequinês?
Ele não suporta pensar que o cachorrinho ficaria triste e infeliz.
Daí a Betty falou: "Deixa que eu cuido dele! Lá em casa nós adoramos o Ralf, e gostaríamos muito que ele morasse com a gente em tempo integral. E acho que o Ralf também gosta de nós.

Eu já vi ele sorrindo. É uma coisa difícil de se ver num cachorro, mas eu já vi.
Ele vive andando atrás do meu pai, e às vezes fica só olhando pra ele e ouvindo meu pai tocar piano.
Acho que ele é um cachorro muito musical, e nunca tinha ouvido

ninguém tocar piano. Lá em casa nós tocamos, e ele pode ouvir quando quiser. Pode mesmo! E vamos trazê-lo para visitar você quando quiser, OK, tio Humberto? Vamos mesmo!"

Tio Humberto ficou supercontente com a ideia, mas a mamãe disse que primeiro precisamos perguntar aos pais da Betty.

E outra coisa: o que vai ser do Ralf quando a família da Betty viajar? Betty então diz que o Carlinhos pode tomar conta do Ralf, pois a mãe dele é babá profissional de cachorros.

Daí telefonamos para o Marcos e a Cecília ab-so-lu-ta-men-te naquele segundo. E eles disseram: "Sim!"

Foi um dia tão empolgante!

Quase o tipo de dia que a Ruby Redfort costuma ter.

E agora mal consigo esperar para ler o resto do livro e saber como a Ruby vai escapar do Conde Visconde, o Gênio do Mal.

Porque aposto que ela vai acabar escapando.

"Bem, pelo jeito, este é o fim da linha para você, Ruby Redfort, menina detetive.

Daqui a vinte minutos este quarto vai estar todo cheio de água. Vamos ver se você consegue sair dessa! Eu acho que não! Há há há há!"

E, com essa gargalhada sinistra, o malvado Conde saiu e trancou a porta.

Foi então que Ruby lembrou de seu aparelhinho lançador de raios *laser*, disfarçado de broche. Ruby logo pôs mãos à obra. Dentro de poucos segundos, já tinha cortado as algemas de aço e estava tentando destrancar a porta de metal, mas a porta nem se mexia. Até a janelinha estava trancada a sete chaves, impossível de abrir. O quarto começava a se encher de água, cada vez mais depressa. Parecia que não havia escapatória... até que, em desespero, Ruby olhou para cima e, para sua surpresa, viu uma pequenina claraboia — tão pequena que só uma menina de onze anos poderia se esgueirar por ali.

Restava só um problema — o oxigênio... Já estava difícil respirar... Ruby tinha levado seu respirador submarino, mas haveria tempo?

Finalmente é quarta-feira, o grande Dia da Visita dos Pais e da exposição na escola, e tudo está extremamente fascinante etc. e tal. Todo mundo já arrumou suas mesinhas.

A nossa mesinha está maravilhosa, e o nosso projeto é o melhor de todos. É um vulcão soltando fumaça de verdade. Mas só vamos ligar a fumaça no último minuto então vai ser uma grande surpresa.

Também não queremos que acabe a fumaça antes da visita dos juízes.

O Carlinhos fez um helicóptero em miniatura, e eu e a Betty fizemos dois bonequinhos de massa representando Ruby Redfort e Clancy Crew. O Conde Visconde está obrigando os dois a se pendurarem na beira do vulcão. Eu fiz o Conde Visconde. Ele é de papel machê, quer dizer, pasta de jornal molhado. Dá bastante trabalho pra fazer.

O mais difícil é esperar secar.
Mas vale a pena.
O Carlinhos gravou uma fita com uma gargalhada de gelar o sangue – que na verdade é da dona Clotilde, mas ela não sabe.

O Noé e a Suzy Woo levaram um *wok* – uma espécie de frigideira bem funda.
Mas é só para mostrar – eles não têm autorização para cozinhar nada de verdade, pois há risco de incêndio. Mas eles fizeram sushi, que é peixe cru enrolado em volta de um bolinho de arroz.
Também estão mostrando umas bananas que não são bem bananas – chamam-se plátanos. É uma fruta que parece uma batata fingindo que é banana.

Depois que todo mundo deu uma olhada geral nos projetos, cada um fez sua apresentação.
Fiz meu discurso em estilo Ruby Redfort.
Ficou muito legal.
Falei algo assim: "O que eu aprendi com os livros da Ruby Redfort? Muita coisa".
Daí contei como nós examinamos todas as pistas e depois juntamos os pontinhos, e tudo isso nos mostrou que a taça não tinha sido roubada, mas que alguém apenas tinha cometido um terrível engano, e esse alguém, cujo nome não queremos

mencionar, tinha acusado a pessoa errada. Isso às vezes acontece, quando tiramos conclusões muito depressa.

Daí falei: "É incrível quanta coisa se pode aprender com nossos livros preferidos. E às vezes a gente nem percebe que está aprendendo, de tão ocupados que estamos, curtindo o livro".

Todo mundo bateu palmas.

Dona Clotilde estava sorrindo, olhando bem firme para a frente e batendo palmas com um entusiasmo um pouco exagerado.

E o seu Tomás disse: "Bom trabalho, garotas!"

Bem parecido com os livros da Ruby Redfort – no final, Hitch sempre diz: "Bom trabalho, garota!"

Seu Tomás continuou: "Graças a vocês duas hoje temos a taça de volta, a tempo para a distribuição dos prêmios desta noite. Estou muito impressionado com o trabalho de detetive que vocês fizeram.

Se a Ruby Redfort não tomar cuidado, vocês vão pegar o emprego dela!"

Foi muita gentileza da parte dele dizer isso, mas não é verdade, porque a Ruby Redfort não é uma pessoa de carne e osso.

Mas eu gostaria que fosse.

Dei para ele um dos nossos broches da Ruby, feitos em casa.

Ele logo colocou no paletó.

O broche diz: "Meu, que chateação!"

Bom, o fato é que todo mundo achou o nosso discurso muito legal, e a Pode-Me--Chamar-de-Cecília disse: "Genial, meninas!"

A mãe do Carlinhos disse que está muito aliviada, pois pelo menos hoje não vai precisar discutir o mau comportamento dele.

E o seu Tomás concordou plenamente.
Dona Clotilde foi obrigada a dizer que
lamentava muitíssimo o incidente, e ofereceu uma
caixinha de jujubas ao Carlinhos como pedido
de desculpas.

Depois que cada pessoa fez um discurso sobre a parte instrutiva do seu projeto, os pais olharam todas as maquetes e as miniaturas.

Ouvi dona Clotilde dizer para o Roberto Sem Alça e para o Arnaldo:
"É um projeto muito bem-feito, mas talvez fosse melhor vocês se manterem fiéis aos fatos. Não havia dinossauros-galinha".
O que é um fato.

"Esses ossos não têm sessenta e cinco milhões de anos."
Isso também é fato.

Reparei que o Roberto e o Arnaldo não prestaram a menor atenção na dona Clotilde, e assim que os pais vieram visitar sua mesa, eles contaram de novo aquela história – que acharam os ossos do dinossauro-galinha enterrados no quintal do Roberto.

Graça Grapello está no banheiro, se sentindo mal porque comeu quase todos os docinhos do projeto da Alexandra sobre a monarquia, e sem pedir licença. Os docinhos eram para as visitas.
Ela está passando tão mal que não vai fazer o projeto de balé junto com a Cíntia.
O Tobias também tinha que entrar nesse projeto do balé, mas infelizmente pegou vermes. Disse que está com dor de barriga e não pode pular nem fazer piruetas, senão é capaz até de desmaiar.
Só que mesmo com vermes ele não teve nenhuma dificuldade em comer oito sanduíches de maionese.

A Cíntia teve que fazer o projeto do balé sozinha.
Não ficou muito bom, porque ela só faz aula
de balé há umas duas semanas, e nem sabe os
movimentos ainda.
Mas acabou inventando tudo.
Graça Grapello precisou ir embora mais cedo.
Dona Clotilde disse: "Parece-me, Graça Grapello,
que a sobremesa foi bem merecida".

Um monte de gente que eu conheço veio visitar
nossos projetos – muitos pais, até o tio Humberto, a
Flossie, o Ralf, e também meu pai.
Normalmente, meu pai vive muito ocupado
no escritório e nunca pode sair, porque seu
Herculano, o chefão, está sempre bafejando na
nuca dele.
Seu Herculano é um chefe muito severo e não gosta
que as pessoas tirem folga para se divertir.
Papai mandou a secretária dele, dona Marocas – que
aliás a gente não deve chamar de secretária, mas sim de
"assistente pessoal" –, dizer a seu Herculano que ele

tinha ido para casa mais cedo com intoxicação alimentar.

O que foi engraçado, porque depois de comer o sushi do Noé e da Suzy Woo, ele realmente está se sentindo meio esquisito.
Mostrei o nosso projeto ao papai. Carlinhos acendeu o vulcão, mas não aconteceu ab-so-lu-ta-men-te nada durante quase um minuto.
Foi muito emocionante.
Ficamos esperando na ponta dos pés.
E daí, aos poucos, saiu uma baforada de fumaça.
Parece ab-so-lu-ta-men-te realista, como um vulcão de verdade.
Tem um cheiro meio engraçado, mas acho que vulcão é um negócio que cheira mal mesmo.
Nós provavelmente vamos vencer, quase com certeza.

Daí seu Tomás foi até o microfone e disse:
"Por favor, queiram todos acompanhar-me até o salão principal, onde vou anunciar o vencedor do projeto literário deste ano".
E daí ele fez um pequeno discurso, só que no meio esqueci de me concentrar, olhando uma aranha

balançando, dependurada no fio, quase a ponto de pousar na cabeça do seu Tomás.

Por sorte, voltei a me concentrar bem no momento em que ele falou: "Bem, e sem mais delongas, o prêmio vai para…"

Fechei os olhos e esperei ouvir meu nome, mas quando abri de novo a taça ia sendo entregue para a Alexandra, porque, como disse seu Tomás,

"Ela fez um projeto muito informativo, e ao tentar mostrar tanta coisa da época da monarquia em apenas alguns minutos também foi muito ambiciosa".

Continuou, "Nem todo mundo é capaz de ser rainha, doceira e narradora ao mesmo tempo", disse seu Tomás.

E completou: "O que sobrou dos docinhos históricos estava muito gostoso".

Ficamos ab-so-lu-ta-men-te
decepcionadas
por não sermos as vencedoras e não ganharmos a taça nem o prêmio misterioso.

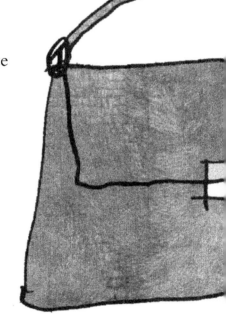

Mas pelo menos foi a Alexandra quem ganhou, uma pessoa de quem eu gosto e não a Graça Grapello, de quem eu não gosto.

O prêmio misterioso acabou sendo não muito misterioso; afinal, é um prêmio típico da dona Clotilde.

Chama-se *Enciclopédia do Balé*,
ou seja, só é um bom
prêmio para quem
tem fascinação
por balé, coisa que
eu
não
tenho.
Enquanto todo
mundo estava ocupado
vendo Alexandra receber
o prêmio, o vulcão do
Carlos pegou fogo e fez
funcionar os chuveirinhos
do sistema anti-incêndio.
Dona Clotilde ficou
ab-so-lu-ta-men-te louca de raiva.
Falou que a bolsa de camurça
dela estava
totalmente
estragada.

Devo dizer também que os sanduichinhos de maionese para os visitantes ficaram incomíveis. Felizmente, os espetinhos de salsicha se salvaram.
Quando chegou meu tio Teodoro, que é bombeiro, ele disse: "Não é boa ideia ter algo que solte fumaça ou pegue fogo numa sala de aula. Só se houver supervisão adequada".
Dona Clotilde foi chamada na sala do seu Tomás.
Acho que ela levou uma bela bronca.
Pelo menos espero.
Carlinhos foi mandado embora para casa.
E todo mundo também.

Quinta-feira

Acordei bem cedo, apesar de que hoje não tenho aula. As aulas foram canceladas por causa da água dos chuveirinhos que caiu na classe.
Seu Etelvino vai ter que limpar tudo.
E vai ter de usar aquelas botas de borracha até os joelhos.
Ouvi o seu Etelvino dizer para a dona Marta:

"Dona Clotilde pode dar adeus àquele tapete no canto da leitura".
Claro, os tapetes também ficaram totalmente encharcados.
E dona Marta respondeu: "Francamente, esse é o menor dos problemas que ela tem de enfrentar agora".
Vou telefonar para a vovó e contar a ela tudo o que aconteceu, assim que eu acabar de ler a última, ultimíssima página do meu livro **RUBY REDFORT É D+!**
Quase não quero terminar,
mas eu ab-so-lu-ta-men-te quero saber
como acaba.
É o que acontece quando a gente lê um livro bom, mas bom mesmo –

    a gente quer

ler

tudo

de

n o v o.

Ruby Redfort saiu do Quartel-General e entrou na limusine, que já estava à espera.

Que dia! Começou salvando seu herói, Dirk Draylon, depois escapou do Conde Visconde, o Gênio do Mal, frustrando os planos desse malvado vilão de tomar conta do mundo – aliás, como sempre.

O pessoal do QG ficou muito satisfeito com o trabalho de Ruby e disse a ela para tirar folga pelo resto do dia.

Era uma pena não poder voltar para a escola a tempo de vencer a eleição da classe, mas, afinal, ela esteve bem ocupada. Nem mesmo Ruby Redfort é capaz de fazer tudo e ser vitoriosa em tudo.

Pelo menos a Verônica Begwell não seria eleita presidente. Dona Dorothy percebeu que Verônica havia colocado vários votos para si mesma na urna.

Com o dedão do pé, Ruby ligou o *home--theater* superluxo com som *surround*, telas e alto-falantes à volta de todo o interior da limusine.

O programa era "Tiras Malucos", estrelando seu novo amigo, Dirk Draylon.

Realmente, salvar da morte certa o maior galã da TV era demais! Pena que Ruby tinha esquecido de lhe pedir um autógrafo.

Nesse momento, ouviu-se uma voz no intercomunicador do carro. Era Hitch.

Ele disse apenas: "Bom trabalho, garota!"

Fim

Acabo de terminar neste minutinho
    a última **ultimíssima** frase do livro,
      quando a campainha toca.

Fez um barulho estranho, porque está quase pifando.
Espero mesmo que não seja nem a dona Célia nem
o Roberto Sem Alça.
Espio pela frestinha das
cartas do correio.
Só vejo Ralf,
o pequinês,
e abro
a porta.
Por sorte,
ele estava
no colo
da Betty.
Ralf parece
muito feliz.

A Betty arranjou
uma coleira nova para ele.
E trouxe meu presente da Rússia.
Ela mal pode esperar eu abrir.
Fica pulando pra lá e pra cá — e Ralf também.

Você nunca vai adivinhar o que é: é o novo, o novíssimo lançamento da série Ruby Redfort. Betty disse que ainda está
"molhado de tinta",

quer dizer, acabou de ser impresso neste minuto, talvez na semana passada.

Chama-se JÁ PARA A RÚSSIA, RUBY!
 Tem uma capa branca e mostra Ruby Redfort usando um chapéu de pele com abas nas orelhas. O livro ainda nem está à venda. Betty ganhou de presente da Patrícia F. Maplin Stacey em pessoa, e a Patrícia F. Maplin Stacey até escreveu uma dedicatória com caneta hidrográfica.

Diz assim:

Para Clarice Bean,

Continue lendo, garota!
Com carinho,

Patrícia F. Maplin Stacey

Que é exatamente o tipo de coisa que o Hitch diria.

COLEÇÃO RUBY REDFORT
de Patrícia F. Maplin Stacey

Uma Menina Chamada Ruby

Corra, Ruby!

Onde Está Você, Ruby Redfort?

Você Existe, Ruby Redfort?

Quem Vai Salvar Ruby Redfort?

Socorro, Ruby Redfort!

Ruby Redfort é D+!

Já para a Rússia, Ruby!

vire a página
informações
ab-so-lu-ta-men-te
importantíssimas!

Para *Sylv*

Ab-so-lu-ta-men-te
obrigadíssima!

Um obrigado especialíssimo para Francisca Dow, Anna Billson e Megan Larkin, que foram todas fabulosas.

Obrigada a Orchard Books, por manterem a calma (pelo menos aparentemente) e serem tão gentis – mesmo quando eu não conseguia pensar em nada para escrever.

Obrigada também a minha agente Caroline Walsh, pelas mesmas razões.

Obrigada a Shaw Farm Vídeo e à Chocolate Tasting Society, por muitos conselhos importantes e conversas estimulantes até de madrugada.

Obrigada à Rococo, cujas divinas barras de chocolate tiveram um papel importante na criação deste livro.

E, por fim, obrigada a todos que tiveram a gentileza de ler este livro e me dizer que gostaram (mesmo que só um pouquinho).

CIP-BRASIL. CATALOGAÇÃO NA FONTE
SINDICATO NACIONAL DOS EDITORES DE LIVROS, RJ

C464c
2.ed

Edição brasileira
Diretor editorial
Fernando Paixão
Editora
Claudia Morales
Editor assistente
Fabricio Waltrick
Coordenadora de revisão
Ivany Picasso Batista
Revisora
Camila Zanon

Child, Lauren, 1967-
Tipo assim, Clarice Bean / [texto e ilustrações] Lauren Child ; tradução de Isa Mara Lando. - 1.ed. - São Paulo : Ática, 2004.
192 p.: il. – (Clarice Bean)

Tradução de: Utterly me, Clarice Bean

ISBN 978-85-08-09144-7

1. Literatura infantojuvenil. I. Lando, Isa Mara. II. Título. III. Série

08-0138

CDD 028.5
CDU 087.5

ISBN 2 09 210356 3 (ed. original)
ISBN 978 85 08 09144-7 (aluno)

Título original: *Utterly me, Clarice Bean*
© Lauren Child 2002
The right of Lauren Child to be identified as the author and the illustrator of this work has been asserted by her in accordance with the Copyright, Designs and Patents Act, 1988.

Arte
Editora
Suzana Laub
Editor assistente
Antonio Paulos
Editoração eletrônica
Moacir K. Matsusaki

2023
1ª edição
27ª impressão
CL: 732491
CAE: 222668

★ Vencedor do Prêmio Red House Children's Book

Impressão e acabamento: Forma Certa Gráfica Digital

Todos os direitos reservados pela Editora Ática S.A., 2007
Avenida das Nações Unidas, 7221 – CEP 05425-902 – São Paulo – SP
Atendimento ao cliente: 4003-3061 – atendimento@aticascipione.com.br
www.coletivoleitor.com.br

IMPORTANTE: Ao comprar um livro, você remunera e reconhece o trabalho do autor e o de muitos outros profissionais envolvidos na produção editorial e na comercialização das obras: editores, revisores, diagramadores, ilustradores, gráficos, divulgadores, distribuidores, livreiros, entre outros. Ajude-nos a combater a cópia ilegal! Ela gera desemprego, prejudica a difusão da cultura e encarece os livros que você compra.